D0505896

BIANCA
NAAR DE DUINRUITERS

,,Hoe kom jij aan een verbonden enkel?'' vraagt de agent vriendelijk. (blz. 116)

BIANCA
NAAR DE
DUINRUITERS

YVONNE BRILL

Geïllustreerd door
HERRY BEHRENS

UITGEVERIJ KLUITMAN ALKMAAR

**In de serie POCKETS MEISJES
zijn van Yvonne Brill verschenen:**

Bianca in galop
★
Daar komt Bianca te paard
★
Bianca wint een paard
★
Bianca naar de manege
★
Bianca rijdt voorop
★
Bianca neemt een hindernis
★
Bianca naar manege „Het Zilveren Paard"
★
Bianca in de arreslee
★
Bianca en het paardrijkamp
★
Bianca op de stoeterij
★
Bianca naar de Duinruiters
★
Bianca in volle draf
★
Bianca op huifkartocht
★
Bianca in de hoofdrol

Nugi 223
© Uitgeverij Kluitman Alkmaar B.V.

HOOFDSTUK 1

Bianca maakt weer plannen!

,,Bianca Vermeulen, als je nu niet zorgt dat de stal opgeruimd is..." zegt moeder Vermeulen en ze trekt diepe rimpels in haar voorhoofd. ,,Neem Bontje ook even mee naar buiten," vervolgt ze. Bontje, de trouwe Sint Bernard loopt enthousiast achter Bianca, zijn baasje die een verongelijkt gezicht zet, aan.

,,Kom maar, Bont, laat moeder maar mopperen," zegt ze tegen de Sint Bernard. ,,Ver..." Bianca houdt zich nog net op tijd in. Daar struikelt ze bijna over Pluis, haar Barnevelder kip. ,,Pluis, kun je niet uitkijken waar je je kippepoten neerzet!"

Dan moet Bianca toch wel om zichzelf lachen. Ze recht haar schouders en loopt naar de stal waar haar lievelingen staan.

Moeder Vermeulen heeft natuurlijk gelijk. Ze heeft de laatste tijd de boel verwaarloosd. Maar dat kwam, omdat Bianca tijd te kort had. Om te beginnen nam het schoolwerk erg veel van Bianca's vrije tijd in beslag; het leek wel of ze steeds meer huiswerk kreeg. Daarnaast moest ze Bontje uitlaten en Marieke verzorgen die nog steeds op stal staat bij Bianca. Dat is de tegenprestatie die Bianca moet leveren om af te toe op Marieke een ritje te mogen maken. Marieke is nu immers van Mary Kruisen, haar vriendin.

Donja, de lieveling van Bianca, staat buiten in de wei. Bianca loopt er meteen even heen. Bontje begint enthousiast te blaffen. Donja legt haar oren in de nek en maakt een sprongetje. Ze moet nog steeds niet veel van Bontje hebben, al weet de jaarling best dat het dier geen kwaad in de zin heeft.

Bianca aait Donja over haar fluwelen neus en zucht, terwijl ze bedenkt, dat het toch lang duurt, voordat Donja zo oud is dat ze op haar rug door de Drentse bossen kan rijden.

Bianca loopt terug naar de stal en begint eerst met het wegkruien van de mest. De belangrijkste taak van deze dag ligt nog op haar te wachten: de verzorging van Pride. In de box die vroeger aan Bonnie heeft toebehoord, staat Bianca's zorgenkind.*

* Zie: Bianca op de stoeterij. Het dier is pas door vader Vermeulen, die veearts is, naar de Saksische boerderij gehaald, omdat het dier totaal verwaarloosd was aangetroffen.

„Pride, zal ik je eerst even voeren?" praat ze nu liefdevol tegen het paard.

Pride draait echter zijn hoofd van haar af. Hij moet niet zoveel van mensen hebben.

Bianca kijkt naar het dier. Hij ziet er nog steeds niet zo goed uit, al moet ze toegeven dat sinds de dag of veertien dat de hengst hier is, hij niet meer zo broodmager is. Vader Vermeulen heeft Bianca zalf gegeven, zodat ze hiermee de zere plekken, die door prikkeldraad zijn veroorzaakt, kan behandelen.

Bianca bijt op haar lip. Pride is toch wel een zielig paard, denkt ze vol medelijden. Blijkbaar heeft het dier, voordat hij bij Bianca kwam, weinig liefde gekregen. Hij is schichtig en bijterig. Bovendien moet je erg oppassen, want dikwijls schopt hij venijnig achteruit.

Bianca brengt Pride naar buiten. „De zon zal je goeddoen," zegt ze tegen het dier. Je kunt aan de oren van Pride zien dat hij echt wel op Bianca's stem reageert. „Ga maar lekker met Donja spelen," moedigt ze hem aan.

Pride hinnikt en loopt inderdaad in de richting waar Donja staat. Marieke mag nu ook in de wei.

Even blijft Bianca naar de drie paarden kijken. Dan moet er worden aangepakt, want moeder

9

Vermeulen heeft gelijk. Het is een beestenboel in de stal. Bianca heeft wel een paar uurtjes werk voordat deze weer is veranderd in een puik uitziende stal.

Moeder Vermeulen komt een uur later kijken of Bianca al gevorderd is. Ze heeft een beker lekkere chocolademelk voor haar dochter meegenomen. Buiten, voor de stal, ligt Bontje trouw op zijn baasje te wachten.

Bianca kijkt op haar horloge. Ze mag wel opschieten, want ze heeft immers met haar paardrijvriendinnen afgesproken. Straks moet de club van zes nog op haar wachten!

,,Als je eerder de stal onder handen had genomen, dan had het je nu niet zoveel tijd gekost,'' zegt moeder. ,,Er is trouwens voor je gebeld. Nel en Billy vroegen waar je bleef; ik heb maar gezegd dat je pas tegen een uur of twee kunt komen.''

Bianca knikt en veegt de boxen uit. Nu nog even desinfecteren en dan snel het verse stro erin.

,,Wat is er op de bosmanege te doen vanmiddag?'' vraagt moeder nu vol belangstelling.

Bianca lacht. ,,Mam, dat weet je toch wel, we hebben vakantieplannen. We gaan toch met het hele stel naar de kust.''

Moeder Vermeulen kijkt naar het gezicht van haar dochter dat helemaal oplicht als ze over de plannen vertelt. ,,O is het alweer zover, dan mag ik je spijkerbroeken en paardrijspullen wel vast wassen en nakijken, want jullie zijn meestal al vertrokken, voordat ik het in de gaten heb.''

Bianca knikt. Moeder is gelukkig niet boos meer op haar. ,,Graag, mam, want we willen inderdaad vlot vertrekken. Het is nu tenminste prachtweer en dat blijft het in Holland gewoonlijk niet eeuwig,'' lacht Bianca. Ze sjouwt wat stro naar binnen en laat zich dan puffend even op een baal neerzakken. ,,Wilt u Menno vragen of hij naar de boxdeuren wil kijken, ze sluiten niet goed, ik heb het hem al een tijd geleden gevraagd.''

Moeder knikt. ,,Hij is net zo vlot als jij,'' zucht ze. ,,Ik zal hem in het weekend vragen er iets aan te doen. Hoe is het vandaag met Pride?'' vraagt ze, terwijl ze naar het paard, dat nu alleen in een hoek van de wei staat, kijkt. Kennelijk heeft hij de vriendschap die Donja en Marieke met hem willen sluiten, afgewezen.

Bianca kijkt bezorgd. ,,Ik denk dat Pride vroeger te veel heeft meegemaakt en daardoor nu zo wantrouwig is tegenover mens en dier. Het zal moeilijk worden om zijn vertrouwen te winnen.''

Moeder strijkt over het haar van haar dochter. ,,Als iemand het vertrouwen van Pride kan terugwinnen, ben jij dat, Bianca," zegt ze. ,,Kom, drink je chocola en ga dan maar naar de manege. De paarden kunnen zolang wel buiten blijven, je hebt ze toch gevoerd?"

Bianca knikt. ,,Ik moet ze nog borstelen."

,,Mmm, ik ben net klaar met mijn werk, ik zal de dieren wel borstelen. Behalve Pride, want die staat het niet toe. Kom je niet te laat thuis vanavond, ik moet met vader weg."

Bianca knikt. Ze houdt haar hoofd onder de waterstraal en kijkt dan naar Bontje, die haar met zijn trouwen ogen goedig aankijkt. Hij wil natuurlijk mee naar de bosmanege.

Ondertussen bedenkt Bianca dat ze maar beter een schone broek en bloes kan aantrekken, want zó kan ze beslist niet naar de bosmanege. Ze schopt haar rubberlaarzen uit en rent met grote stappen naar boven. Twee, drie treden tegelijk neemt ze.

,,Hé, dochter, doe eens wat kalmer aan. En denk eraan, gooi de was in de wasmand en niet in de hoek van de badkamer," klinkt het waarschuwend achter Bianca.

Ze grinnikt. Moeder weet precies dat Bianca dit

altijd doet. Ze pakt een schone spijkerbroek en grijpt een roodgeblokte blouse, waarvan ze de mouwen kan opstropen. Nu nog even een borstel door het vochtige haar en dan Marieke zadelen.

,,Dag, mam, ik ga," roept ze naar haar moeder. Maar die hoort haar dochter niet, omdat ze achter het huis de was van de lijn haalt.

,,Marieke, kom dan," roept ze naar het paard dat gewillig komt aanlopen. Bianca schudt het hoofd. Moeder zou Marieke even borstelen, dat is nog niet gebeurd. Zo kan ze toch niet met het paard op de manege verschijnen. Ze moet Marieke toch maar even een snelle borstelbeurt geven. Bianca pakt de borstels en de zachte doek om de vacht van het dier daarmee glanzend te maken.

,,Zo, Marieke, nu kunnen we eindelijk gaan," zegt ze tegen de merrie als ze klaar is. Ze drukt een kus op de neus van het dier.

Bontje wil absoluut met Bianca mee. Hij blaft uitdagend tegen Marieke en zijn baasje. Marieke hinnikt zacht, alsof ze Bontje duidelijk wil maken dat ze toch niet onder de indruk is van zijn vertoning. Daar gaan ze. Bianca's nog vochtige haren waaieren langs haar smalle gezichtje. Bontje holt met de tong uit zijn bek naast Marieke mee. Bianca geniet, terwijl ze gezeten op de rug van Marieke, door het prachtige Drentse landschap rijdt.

Wat is het toch jammer dat het leven niet alleen uit paardrijden kan bestaan, denkt Bianca.

In de verte ziet ze de bosmanege al liggen. Dichterbij gekomen, ziet ze aan de paarden die aangebonden staan, dat haar vriendinnen al aanwezig zijn.

,,Hoi, Bianca, jij had zeker thuis genoeg te doen?'' begroet oom Koos zijn nichtje. ,,Dag, Bontje, dag knul.'' Oom Koos houdt heel veel van dieren.

Bontje blaft uitbundig en duwt met zijn goedige kop tegen de hand van oom Koos. Het lijkt wel of hij wil zeggen: toe haal me eens even aan.

,,Kind, ik heb echt met je te doen,'' plaagt oom Koos als hij van Bianca hoort wat er allemaal gedaan moest worden. Zijn heldere ogen glanzen van pret. ,,Je lieve vriendinnen zijn al in 't Peerdenhoes. Je boft, zij hebben daar de boel al schoongemaakt.''

Bianca bindt Marieke aan, geeft de merrie te drinken en loopt dan op haar dooie akkertje de hei over naar hun clubhuis.

Het is al druk op het terrein van de bosmanege. Dat is wel te begrijpen. Onlangs heeft oom Koos op het terrein huisjes laten plaatsen, die voor de

14

verhuur zijn. Zo te zien, zijn alle huisjes ver-
huurd.

Fijn, dat het zulk mooi weer is, denkt Bianca.

Als Bianca bij het clubhuis komt, ziet ze haar
paardrijvriendinnen van de club van zes buiten
voor het huisje zitten.

Billy en Nel, de nichtjes van Bianca, hebben de
kussens naar buiten gesleept en als Bianca komt
aanlopen, hoort ze dat er een discussie aan de
gang is.

,,Dag, Bianca, kind, we dachten dat je niet
mocht komen,'' zegt Billy, terwijl ze meteen een
glas limonade voor Bianca inschenkt.

,,Ach, ik moest eerst de stal uitmesten en daarna Marieke nog een borstelbeurt geven, allemaal
zaken waardoor ik nu pas kon komen. Waar hadden jullie het trouwens over?'' wil ze nu weten.
,,Het schijnt nogal belangrijk te zijn, want ik
hoorde jullie al van ver.''

,,Ach, Pia voelt niet zoveel voor de vakantie,''
legt Mary Kruisen uit.

Bianca trekt haar wenkbrauwen op. ,,Waarom
niet?''

Pia kleurt. ,,Het is altijd zo vol op het strand en
hier in de buurt is het immers heerlijk rustig.''

,,Sinds wanneer heb jij iets tegen drukte?''

Bianca begrijpt niets van haar vriendin. ,,Kom, jongens, we zijn de club van zes, waar de meerderheid heen wil, gaat de hele club naar toe.''

Pia knikt, maar is opvallend stil.

Bianca pakt de brief van het tafeltje dat Nel heeft neergezet. Vlug begint ze de brief te lezen.

Hoi, clubleden, zoals afgesproken hier dan de uitnodiging van ons...
Lucy en Brigitta hebben ons ingedeeld bij een logeerploeg die, of jullie willen of niet, logeren in de bollenstreek. De tweeling heeft daar een oom die een bollenbedrijf heeft en in een van de bollenschuren daar kunnen wij met z'n allen voor niets logeren... Alleen is er een maar aan verbonden... af en toe zullen we even de handen moeten laten wapperen, maar dat is voor de club van zes en de Hoornse ruiters geen bezwaar, neem ik aan? We hebben inmiddels al naar Marise van Wamelen geschreven en zij komt ook. De Hoornse ruiters hebben ons laten weten dat ze van de partij zullen zijn, dus club van zes, wanneer kunnen we jullie verwachten? Hieronder staat, omdat ik de zaken organiseer, mijn telefoonnummer, de groeten en hopelijk tot gauw,

Lennie de Haan.

,,Jullie hebben, neem ik aan, de brief van Lennie, die toen tijdens het paardrijkamp hier was, al gelezen?" vraagt Bianca aan de anderen. ,,Nou, wat doen we?" vraagt ze.

,,Gaan natuurlijk, ik denk zelfs dat het volgende week al kan," vindt Lies van Dungen. Haar verlegen gezichtje straalt.

,,Dus alleen Pia is er tegen?" vraagt Bianca en ze kijkt vragend de kring rond. ,,Mary wat vind jij er van?"

,,Leuk, ik heb zin…"

,,Lies is akkoord, Nel en Billy hebben geen bezwaar en mijn persoontje voelt ook wel wat voor de duinen en het strand. Helaas voor jou, Pia, is de meerderheid voor. Dus als je lid wilt blijven… In ieder geval gaan we naar de kust," zegt Bianca.

Pia zucht, maar knikt daarna instemmend. Ze kent de spelregels immers: samen uit, samen thuis.

Ineens schiet Bianca iets te binnen. ,,Pia, wil je niet mee, omdat er misschien andere plannen in de lucht hangen?"

Pia krijgt een vuurrode kleur.

,,Komt Edje Boekholt soms naar Drenthe?" gooit Bianca een balletje op.

Bianca heeft het goed aangevoeld. Hun Pia

Donkers is verliefd. De eerste symptomen hebben ze al in Luxemburg kunnen waarnemen.

Pia kijkt de kring rond. ,,Het is beter om open kaart te spelen," zegt ze flink. ,,Ed Boekholt komt naar Drenthe en ik... ja, ik ben hardstikke verliefd."

Dat laatste komt er zo benauwd uit, dat de andere clubleden er niets aan kunnen doen dat ze in de lach schieten.

,,Dat geeft toch niet," zegt Bianca. ,,Maar moet de club van zes daaronder lijden? Jij kent de clubregels, maar Pia, we willen jou als clublid echt niet missen."

Pia glimlacht. Ze wordt wel vaak geplaagd, maar samen met de club van zes heeft ze al heel wat dolle paardrijvakanties beleefd.

,,Kan Ed niet een paar weken later komen?" informeert Bianca praktisch. ,,Dan kun je eerst met ons mee."

Pia knikt. ,,Dat zal ik proberen te regelen."

,,Dus gaat de club van zes weer op avontuur?" vraagt Billy.

Zes meisjeshoofden knikken enthousiast.

,,Zullen we dan volgende week vertrekken?" Bianca houdt ervan spijkers met koppen te slaan. Ze kijkt de kring rond. Er komen geen bezwaren.

,,Billy, wil jij contact met Lennie opnemen om de details te regelen?"

Billy noteert wat Bianca zegt. ,,We gaan met de trein, want ik vrees dat geen enkele vader ons nu kan brengen. Goed, de financiën zullen deze keer geen bezwaar opleveren. Om te beginnen hebben we nog zakgeld te goed van oom Koos in ruil voor onze hulp op de bosmanege. Bovendien hebben we van onze vakantie in Luxemburg nog geld over."

,,Goed, dat is dan geregeld. Ik ben reuze benieuwd wat we aan de kust zullen beleven," zegt Bianca vol enthousiasme. Ondertussen dwalen haar ogen over de hei, terwijl ze al haar avonturen met paarden door haar gedachten laat gaan. En dat zijn er heel wat! De club van zes heeft samen al de nodige avonturen beleefd en gaat fijn weer op pad. Het lijkt haast wel of de meisjes nu pas echt het gevoel hebben dat het vakantie is.

HOOFDSTUK 2

Wat een machtig stel!

Er wordt zoals gewoonlijk weer heel wat heen-en-weer gebeld en vader Vermeulen verzucht dat er vast patiënten zijn die hem niet kunnen bereiken, maar dat is onzin, vindt Bianca.

Lucy en Brigitta Voerendaal zullen aan het station staan om de meisjes af te halen. De Hoornse ruiters zullen er dan al zijn; hun reisschema ligt wat gunstiger.

Marise komt een dag na de anderen en ze zullen de hele groep ontmoeten bij de familie Voerendaal waar ze zullen logeren tijdens de vakantie.

Pride krijgt nog wat extra aandacht van Bianca. Eigenlijk is het jammer dat ze zo gauw met vakantie gaat, want het lijkt alsof Pride iets minder vijandig tegen Bianca doet.

Bontje en Pride zijn onafscheidelijk geworden, al hebben ze samen ook weleens mot. Bontje blaft, terwijl Pride af en toe flink in de richting van de hond trapt, maar gelukkig is Bontje slim genoeg om uit de buurt van de paardebenen te blijven.

Mary Kruisen heeft even bij de box van Pride gestaan en verwondert zich erover dat het paard dikker is geworden. Hij was ten slotte, toen hij bij Bianca kwam, vel over been. ,,Je krijgt hem vast optimaal, Bianc,'' zegt ze vol vertrouwen tegen haar vriendin.

,,Ik hoop het, ik kan me niet voorstellen hoe Pride eruit zal zien als zijn wonden zijn genezen en ik hem regelmatig kan borstelen.''

Dat neemt Mary graag aan, want als Bianca de verzorging van een dier op zich neemt, kun je ervan overtuigd zijn dat het het dier aan niets zal ontbreken. ,,Misschien herkent het dier je als je terugkomt van vakantie,'' zegt Mary, voordat ze Marieke zadelt om een eindje te gaan rijden.

Bianca kijkt ondanks Mary's woorden ongelukkig. Het is maar goed dat de vakantie voor de deur staat. Bianca heeft immers sinds Bonnie niet meer leeft geen rijdier meer tot haar beschikking.

Oom Koos heeft afgesproken dat Donja naar de manege zal worden gebracht. Hij zal dan kijken of hij de jonge merrie kan longeren, maar het duurt Bianca allemaal te lang.

Het is net alsof Mary begrijpt waarover Bianca

staat te piekeren. ,,Zou je niet op Pride kunnen rijden, als de wonden genezen zijn?"

Bianca kijkt naar de box waar het dier staat. ,,Voorlopig moet hij aansterken. Ik ben echt geen Pia, maar zelfs mijn gewicht is te zwaar. Nee, het wordt tijd dat Donja zover is."

Mary gaat weg en zwaait naar haar vriendin. Ze vertrekt op Marieke, die een beetje verbaasd achterom kijkt. Ze denkt nog steeds dat Bianca haar baasje is en nu laat haar baasje zomaar toe, dat haar vriendin Mary op haar rijdt. De merrie hinnikt als protest. Bianca draait zich om en pinkt een paar tranen weg van jaloezie.

Gelukkig is boer Van Dungen bereid de tieners naar het station te brengen en dat is fijn, omdat er weer heel wat bagage mee moet. Het hele stel staat dan ook op de bewuste zaterdagmorgen ongeduldig op de trein te wachten, nadat ze door boer Van Dungen met al hun spullen bij het station zijn afgeleverd. Pia heeft dit keer een extra rugzak bij zich en wat daarin zit, is niet moeilijk te raden. De extra fourage zal er best ingaan.

,,Ik hoop, dat ze in Egmond een aantal behoorlijke paarden hebben," zegt Billy, terwijl ze op een kaartje probeert uit te vissen of ze op hun logeeradres ver van de zee zitten.

,,Nou, de meisjes hebben geschreven dat ze daar rijden. Ik neem aan dat die paarden in prima conditie zijn,'' zegt Bianca. ,,We kunnen immers onze eigen paarden niet meenemen, dat is ten eerste te duur en ten tweede veel te omslachtig.''

Daar zijn de anderen het helemaal mee eens.

,,Het zal allemaal best geregeld zijn,'' zegt Nel Vermeulen, die altijd overal de zonnige kant van ziet.

,,Daar komt de trein,'' wijst Pia en ze verslikt zich van opwinding bijna in een stuk kauwgum en krijgt een rood hoofd.

,,Kijk jij maar uit, straks hoeft Ed Boekholt niet meer te verschijnen,'' zegt Bianca lachend.

Het valt allemaal nogal mee en Pia krijgt gelukkig haar eigen gezonde kleur weer terug.

,,Heeft jouw moeder je nooit geleerd om niet met een volle mond te praten?'' zegt Billy, terwijl ze Pia helpt bij het verstouwen van de bagage.

Pia moet wel geholpen worden, want ze begint zo te lachen om deze opmerking dat er niet veel uit haar handen komt. Wat Ed ervan vond dat ze eerst met haar vriendinnen met vakantie wilde, daarover heeft Pia zich niet uitgelaten.

,,Schiet nou op, jongens, straks gaat die trein

zonder ons weg," waarschuwt Bianca. Ze sleept de spullen binnen en hijst als laatste Pia aan boord. ,,Kind, je ziet zowat paars," zegt ze verbaasd.

De rest van de clubleden moet om die opmerking verschrikkelijk lachen en de mensen die al in de trein zitten, kijken op van zoveel vrolijkheid.

Pia veegt als eerste de tranen uit haar ogen. ,,Hè, hè, is me dat lachen," zegt ze.

Bianca schudt haar hoofd. ,,Jullie zijn een mooi stelletje," zegt ze. ,,Daar moet je dan mee op reis." Maar Bianca zegt verder maar niets meer, omdat ze bang is dat de lachsalvo's weer zullen losbarsten.

,,Ik ben benieuwd of die familie Voerendaal net zo aardig is als de tweeling Lucy en Brigitta," zegt Billy nadenkend.

,,Waarom zouden ze niet aardig zijn?" vindt haar zus Nel.

De meisjes kijken wat uit het raam, terwijl Pia dromerig nog een broodje verorbert.

Bianca is onrustig. Ze lijkt wel op een paard vlak voordat het een koers moet lopen. Ze schuifelt met haar voeten en gaat nog eens verzitten. ,,Komt Lennie ons ophalen?" vraagt ze aan de anderen.

Billy heeft contact gehouden. Er staat iemand op het station te wachten of dat Lennie zal zijn, weet ik beslist niet. Hier neem een appel," zegt Nel.

Bianca hapt in de appel en staart naar buiten. In de zonovergoten weilanden ziet ze het vee grazen. Ze boffen nog steeds met het weer.

,,Het volgende station moeten we eruit," waarschuwt Nel. Ze pakt de spullen vast bijeen. Zolang zal de trein niet blijven staan en daarom is het opletten geblazen. Oei, die remmen maken wel een lawaai.

,,We zijn er, kijk nog even na of jullie niets hebben laten liggen," zegt Lies van Dungen. Ze weet dat haar clubgenoten in hun enthousiasme soms wat slordig zijn.

Daar loopt de club van zes weer te sjouwen. Het is iedere vakantie hetzelfde liedje, te veel bagage en te zware koffers en plunjezakken. Verhitte hoofden en jacks, die op het laatste nippertje nog uit het bagagerek moeten worden gevist.

,,We moeten daarheen," wijst Billy en zeult dan met een pijnlijk vertrokken gezicht haar plunjezak wat verder. ,,Ik weet niet wat jullie er van denken maar ik plof neer op mijn plunjezak," zegt Pia. ,,Hier zit ik goed en hier blijf ik zitten."

Bianca kijkt in het rond. Je kunt wel zien dat het echt vakantietijd is, er zijn veel mensen op pad. Ze ziet geen bekende gezichten. Geen Lennie de Haan, het meisje met het zwarte haar, dat oorspronkelijk uit Amsterdam komt. Ook Liesbeth de Bruin, met haar duizend-en-een sproeten, is in geen velden of wegen te bekennen. De tweeling Lucy en Brigittta moet toch meteen opvallen, maar ook zij zijn niet ter begroeting aanwezig.

Bianca gaat op haar koffer zitten. Het is nu een kwestie van afwachten. ,,Je hebt toch wel duidelijk afgesproken, hè?'' vraagt Bianca aan haar nichtje Billy. ,,Het station is zo klein dat je elkaar gewoon niet kunt mislopen.

,,Nou, zeg, jij hebt ook weinig vertrouwen in mijn organisatietalent,'' zegt Billy verontwaardigd.

Bianca glimlacht. ,,Het was maar een vraag, eet me maar niet op.''

Billy kijkt toch nog maar even in haar zakagenda na of ze echt de goede trein hebben genomen en op het juiste station zijn uitgestapt. Ja, het is allemaal prima in orde, ze zijn precies op tijd en op de goede plaats.

De meisjes zitten op en om hun bagage. Het is niet erg om even te moeten wachten. De zon schijnt fel en je kunt zo lekker bruin worden, maar na een minuut of tien wordt Bianca wat onrustig.

,,Er klopt iets niet," zegt ze. ,,Billy, we hebben de goede trein en het juiste station, maar heb je wel voor vandaag afgesproken?"

Billy trekt bleek weg. ,,Het is vandaag toch de elfde?"

Bianca schudt haar hoofd. ,,Dè tiende, uiltje, we zijn een dag te vroeg."

,,Nee, hè," zegt Nel.

,,We kunnen toch geen dag op het station bivakkeren," zegt Mary met een verschrikt gezicht.

,,Nou, nee, dat ben ik ook niet van plan." Bianca neemt automatisch de leiding over. ,,Jij hebt de naam en het adres van de familie. Laten we eerst maar eens een telefooncel zoeken."

,,Daar staat er een," wijst Lies van Dungen.

,,Goed, dan zoeken we eerst het telefoonnummer op en dan hoop ik maar dat er iemand thuis is. Het is vervelend dat we een dag te vroeg zijn, maar we moeten wel zien dat we vandaag op dat adres aankomen."

,,Hoe verzin je het, Billy, gewoon een dag te vroeg op pad te gaan." Nel, haar zusje, is totaal beduusd.

,,Typisch iets voor de club van zes," zegt Lies

van Dungen. Ze ziet de humor van de situatie wel in. ,,Bij ons loopt toch nooit iets op rolletjes.''

Bianca vindt het allemaal maar matig.

Billy zal even gaan bellen. De rest van de ploeg blijft bij de bagage. Billy zoekt in het telefoonboek en draait het nummer. Het duurt even, maar dan zien de jongelui dat Billy met iemand praat. Even later hangt ze de hoorn weer op de haak. Billy is duidelijk ongelukkig, omdat zij zo dom is geweest een dag te vroeg te vertrekken.

,,En...?'' Vijf gezichten kijken Billy vol verwachting aan.

,,Ik kreeg meneer Voerendaal aan de lijn. Hij kan ons nu onmogelijk ophalen, ze zijn volop aan het werk, maar over een uur lukt het misschien om een wagen, waarmee manden met bollen worden vervoerd, naar het station te sturen. Als we dan hier nog zijn, kunnen we meerijden.''

,,Als we dan hier nog zijn, wilde jij gaan lopen of terug naar huis gaan?'' vraagt Pia verontwaardigd.

,,Nou, jongens, kalm aan, ik haal daar bij die winkel even iets te drinken en dan wachten we gewoon af,'' sust Bianca de verhitte gemoederen. Ze haalt zes blikjes limonade en strekt even later haar lange benen in de richting van de zon. ,,Zo, dan

28

krijgen die tenminste ook nog een kleurtje," zegt ze tevreden, terwijl ze de pijpen van haar broek nog wat hoger opstroopt. Bianca is niet snel uit het lood te slaan. Je moet je in elke situatie kunnen schikken.

,,Dus Lennie en de anderen zijn er ook nog niet?" vraagt Nel aan haar zus.

Die haalt haar schouders op. ,,Geen idee, misschien wel, ik heb er niet over gesproken."

,,Als pap dat hoort," zegt Nel. ,,Die zal dan wel roepen: typisch een verward Vermeulen-brein," plaag ze haar oudste zus.

,,Geeft niet hoor, Billy, we komen er wel," zegt Lies van Dungen.

De limonade is zo op en een uur duurt wel lang als je moet wachten, vinden onze paardrijdsters.

Pia heeft uit verveling maar weer een broodje uit haar tas gehaald en werkt dat vlot weg. Dan, als ze bijna de hoop hebben opgegeven, draait een tractor met een grote wagen erachter het parkeerterrein bij het station op.

,,Dat zal ons vervoer zijn!" Bianca springt enthousiast als eerste overeind. Ze ontdekt dat het meisje dat op het zitje van de tractor zit, naast de bestuurder, niemand anders is dan Lucy Voerendaal.

,,Dag, allemaal, nou, die oom van mij is ook een lolbroek," vertelt ze als ze de bestuurder van de tractor, een vakantiewerker, aan onze vriendinnen heeft voorgesteld.

,,Gooi de spullen maar achterin en kruip er zelf maar tussen!" roept Lucy. Net als de club van zes zoekt ook zij een plaatsje, terwijl de tractor het parkeerterrein verlaat.

Bianca gaat zo zitten dat ze meteen met Lucy kan praten. ,,We zijn een dag te vroeg, is dat erg?"

Lucy schiet in de lach. ,,Billy heeft alles grandioos in de war laten lopen, de Hoornse ruiters zijn ook te vroeg aangekomen. Billy is wel in de war geweest. Marise is ook al thuis, dus iedereen is expres in de war geweest, het is vast afgesproken werk," zegt Lucy plagend.

Billy krijgt weer een kleur. Dat haar dit nu moest overkomen, denkt zij bij zichzelf.

Ondertussen trekt de tractor de vreemde vracht. Na verloop van tijd draaien ze een landweggetje op, in de richting van een groot huis waarachter een aantal schuren ligt.

,,Dat is het bedrijf van mijn oom," wijst Lucy. ,,Kijk, daar staat Brigitta," wijst ze weer.

De club van zes springt van de wagen. ,,We

hebben jullie toch niet erg in de problemen gebracht?'' vraagt Mary Kruisen als ze ziet dat een aantal jongelui aan het bollen pellen is.

,,Wel nee, ik zal jullie eerst even aan de uitgebreide familie voorstellen,'' zegt Lucy, die voor de meisjes uitloopt.

Ze zitten allemaal buiten.

Een grote, flink uit de kluiten gewassen man staat op uit zijn stoel. ,,Ik ben oom Jan, Jan Voerendaal, opperhoofd van dit hele stel,'' verwelkomt hij zijn gasten lachend.

Hij wijst naar de anderen. ,,Die twee bengels zijn van mij, ze heten Klaas en Wim. Dit is mijn vrouw Rietje, zeg maar tante Rietje. Brigitta en Lucy kennen jullie al. Zo, ik denk dat ik van jullie inmiddels bijna alles weet, die nichtjes van me hebben me de oren van het hoofd gekletst over Bianca en haar clubleden. Ga zitten, dan schenkt tante Rietje een glas karnemelk voor jullie in, dat is lekker fris met deze warmte. Het zal nu wel niet meevallen om in de schuur te slapen, het is er op dit moment behoorlijk warm.''

,,Waar zijn de Hoornse ruiters en Marise?'' vraagt Billy.

,,Die zijn in de verste schuur aan het bollen pellen. Zo kunnen ze tegelijkertijd een zakcentje verdienen, want vakantie houden, kost veel geld, is het niet?"

,,Kunnen we even gaan kijken?" vraagt Mary.

,,Kijken, daar kopen we niets voor, Klaas en Wim zullen jullie wel leren hoe je moet pellen," zegt oom Jan plagend.

Pia kijkt zuinig. Het lijkt haar niet bepaald aanlokkelijk om nu te werken, terwijl het, als je niets doet, al om te smelten is. Ze veegt haar voorhoofd af en zucht. Was ze maar thuisgebleven, paardrijden met deze hitte is ook geen pretje. Ze droomt weg. Als ze nu thuis zou zijn, zou ze een plekje achter het huis in de schaduw opzoeken om daar dan lekker te luieren met naast zich een enorme pot met ijsthee en een aantal koekjes.

,,Hé, Pia, wat sta jij te dromen? Kom op, we gaan de anderen verrassen," zeggen Lucy en Brigitta en ze volgen de groep op de voet. Ze vinden het maar wat gezellig dat hun leidsters van het paardrijkamp naar hen toe zijn gekomen.

Wat een begroeting volgt er als de club van zes de Hoornse ruiters weer ontmoeten.

Bianca rent meteen op Marise van Wamelen af, die met een aantal bloembollen aan het worstelen is. Zo eenvoudig is het ook niet om de bollen van hun buitenjasje te ontdoen voor een meisje dat normaal thuis nog niet eens in de keuken mag helpen.

,,Hoe is het met Reinoud?'' is de eerste vraag die Bianca aan haar Vlaamse vriendin stelt.

,,Die maakt steeds meer vorderingen, het dier is een kei in het springen. Ik heb kranteknipsels en foto's voor je meegenomen en een brief van grand-père. Hij wil weten hoe Donja, waar Reinoud de vader van is, opgroeit.'' Het kan niet anders, de gesprekken gaan maar over één ding en dat is paarden.

Katja Stein slaat haar armen om Pia heen. ,,Pia, wat heb ik jou een boel te vertellen.''

Jan Voerendaal zucht. Van het bollen pellen zal deze middag wel niets meer terechtkomen, de tieners zijn helemaal door het dolle heen.

Lennie de Haan maakt zich uit het groepje bollenpelsters los en duwt Cora Paardekooper en Liesbeth naar voren.

,,Wat een leuk stel!'' zegt Rietje Voerendaal, die naar het drukke gedoe staat te kijken. En ze heeft gelijk. De vriendinnen stralen zoveel vreugde uit, dat je wel een echte zuurpruim moet zijn om niet enthousiast te worden als je het stel meisjes ziet.

HOOFDSTUK 3

Verkenningen op een paarderug

Nu iedereen bijeen is, duurt het niet lang of ze praten weer over paardrijden. Hoe kan het ook anders.

,,Jongens, is de manege hier ver uit de buurt?'' vraagt Bianca als ze 's avonds plannen maken.

Lennie de Haan schudt haar hoofd. ,,Een kwartiertje op de fiets.''

Lucy en Brigitta stralen, zij zijn zo'n beetje de gastvrouwen van het stel.

,,Er is echter één probleem. We hebben bij manege De Hoefslag paarden gereserveerd, maar er zijn ook enkele pony's bij, is dat erg?''

Pia schudt meteen ontkennend haar hoofd. Ze wil best op een pony rijden, die is tenminste niet zo hoog en eerlijkheidshalve moet ze bekennen dat ze na al die tijd nog steeds bang is van het paard te vallen, zelfs al heet dat paard Iwan de Verschrikkelijke.

,,Wanneer hebben jullie afgesproken?'' wil

Katja Stein weten.

,,Tja, dat is nog een probleem. Volgens de planning zouden jullie pas morgen komen. Ik heb dus voor overmorgen afgesproken. Ik zal meteen even bellen of daar nog iets aan valt te veranderen." Even later komt Lucy blij terug. ,,Het lukt morgen voor de hele dag, dan kunnen we mooi de duinen in, want in de zomer mag je hier niet langs het strand, dat weten jullie, denk ik, wel."

Jan Voerendaal komt eraan. ,,Wie heeft er zin in iets te eten? Als jullie morgen vroeg weg willen, kun je beter bijtijds eten en vanavond de lunchpakketten in orde maken. Dan kunnen jullie daarna snel in de slaapzakken, ik denk dat de ergste warmte nu wel uit de schuur is. Ik verwacht trouwens een onweersbui, het is zo benauwd."

Even later zitten ze met hun bord op de knieën voor het huis in het gras. Op zoveel gasten is geen tafel berekend en het is best lekker om zo te zitten. Ze krijgen ieder een stuk gegrilde kip en er is niets fijners dan dat met je vingers te mogen eten.

Na het eten maakt tante Rietje ze een beetje wegwijs en de meisjes beginnen boterhammen te smeren. Billy belt ondertussen naar de bosmanege om te vertellen dat ze goed zijn aangekomen.

,,Het spreekt voor zich dat wij voor die maaltijd

betalen," zegt Bianca, terwijl ze nog een plak kaas tussen twee boterhammen doet. „Ze moeten hier veel te hard werken voor de kost en wij zijn geen goedkope gasten."

De Hoornse ruiters en de overige leden van de club knikken instemmend. Marise vindt alles prima.

De meisje van het paardrijkamp zitten bij elkaar. Ze kennen elkaar al zo'n tijd en eigenlijk moeten ze aan al die andere clubleden weer wat wennen.

Lucy en Brigitta brengen de slaapzakken naar de achterste bollenschuur, daar zullen ze allemaal overnachten.

Jan Voerendaal heeft een flinke laag stro op de vloer laten neerleggen, zo liggen ze in ieder geval zacht.

„Wie heeft er nog zin in een korte avondwandeling?" vraagt Bianca Vermeulen.

Er komt weinig antwoord. Ze zijn moe van de reis en loom van de warmte.

„Ik wil slapen," zegt Pia, terwijl ze in de richting van de schuur loopt en omdat ze altijd van het standpunt uitgaan samen uit, samen thuis, volgen de andere tieners, nadat ze Rietje en Jan Voerendaal wel te rusten hebben gezegd.

36

Bianca kijkt de schuur eens rond. De club van zes heeft al op veel verschillende plaatsen gelogeerd, van een landgoed tot een stal, maar in een bollenschuur hebben ze nog nooit eerder de nacht doorgebracht. Ze luistert naar het gekwebbel van de anderen en vouwt haar armen achter haar hoofd. Jammer, dat ze niet langs het strand mogen rijden en alleen in de duinen, peinst ze. Als er maar fijne paarden op die manege staan. Bianca zucht. Ze mist Donja en Marieke even en ze moet ook aan Pride denken. Zal de hengst haar missen? Zullen de wonden nu goed genezen? Verder kan Bianca niet meer piekeren, ze valt in een diepe, droomloze slaap. Haar laatste gedachte is aan morgen... morgen gaan ze een dag lang rijden, leve de vakantie!

,,Ben je van plan om de hele dag te blijven slapen?'' klinkt het naast Bianca.

Ze komt overeind in haar slaapzak. Wat heeft zij heerlijk geslapen. Bianca geeuwt en ontdekt dat de rest van de ploeg ook nog niet al te fit is.

Bianca is gewekt door Lucy Voerendaal. Zij is al in haar paardrijkleding gestoken en heeft de lunchpakketten al op een tafeltje neergelegd.

,,Wie wil er thee?'' Brigitta komt met twee thermoskannen aanlopen en begint de weggooibekers vol te schenken. Daar worden ze actief van. Om de beurt schieten ze onder de douche en kleden zich aan. Alleen Cora Paardekooper, Lennie de Haan en Liesbeth de Bruin maken weinig aanstalten om op te schieten.

,,Wij blijven van daag hier om te helpen met bollen pellen," zegt Lennie. ,,Dat hebben we oom Jan beloofd en we hebben nog tijd genoeg om eropuit te gaan."

Ja, dat is wel zo, maar toch... het belooft een warme dag te worden en dan in zo'n warme schuur zitten, lijkt de anderen ook geen pretje.

,,Goed, dan helpen wij morgen weer," zegt Bianca, die geen spelbreekster wil zijn.

,,We zien wel," zegt Brigitta, terwijl ze nog een ronde thee inschenkt en daarbij krentenbollen uitdeelt. ,,Ik ben vanmorgen al naar de bakker geweest, luilakken," zegt ze op ernstige toon.

,,Goed, dan ga ik morgen naar de bakker," zegt Bianca.

Eindelijk is de hele groep klaar voor vertrek. Er is wel een aantal fietsen, maar iedereen zal toch iemand achterop moeten nemen.

Lucy pakt alle pakketten en appels in een grote tas en hangt die aan het stuur. Ze zal niet lang met de spullen hoeven sjouwen, want rijden maakt hongerig.

,,Op naar manege De Hoefslag,'' lacht Bianca die bij Billy achterop zit. Katja Stein heeft Pia op sleeptouw, die twee zoeken elkaar iedere vakantie weer op. Dan vertrekt de karavaan.

,,Jongens, dit wordt een dag met een gouden randje,'' zegt Lies Kiers. Haar gezichtje straalt van plezier.

De anderen hebben ook wel zin in een uitgebreide duintocht. Gelukkig weten Lucy en Brigitta hier goed de weg.

Na een stevig kwartiertje doortrappen, komen ze bij manege De Hoefslag aan. Het valt de tieners op hoe mooi de omgeving hier is, heel anders dan in het romantische Drenthe.

Lucy en Brigitta zijn hier kind aan huis. De eigenaar van de manege begroet het tweetal hartelijk. Het valt vooral de Vermeulens meteen op hoe verzorgd de paarden en pony's erbij staan. Ze hebben allemaal een eigen dek, een elektrische drinkbak en ze zijn voorzien van een ruime box.

Als Bianca hoort wat een uur rijden kost, staat ze even te kijken, de prijs valt mee. Goed, voor een dag wordt het al met al nog een heel bedrag, maar het is per slot van rekening ook vakantie. Voor ieder van de meisjes is er een paard.

,,Hoe heet dit paard?'' informeert Nel bij de eigenaar.

,,Dat is Nelson,'' zegt hij, ,, en het andere paard heet Purdey, allebei gewillige beestjes. ,,Ik hoop wel dat jullie een beetje rijervaring hebben, en een ruiterkaart voor de duinen, want anders voel ik er weinig voor de dieren de hele dag aan jullie mee te geven,'' zegt hij eerlijk.

Marise van Wamelen schiet in de lach. Of ze wat ervaring hebben, wat een malle vraag. Je kunt wel merken dat hij nog nooit van Bianca Vermeulen en haar mede-paardrijdsters heeft gehoord. En een ruiterkaart voor de duinen hebben de zusjes Voerendaal.

Lucy zegt nogmaals tegen de eigenaar dat hij geenszins bezorgd voor zijn dieren hoeft te zijn, omdat ze allemaal genoeg rijervaring hebben. Ze wijst op Bianca, ,,Bianca Vermeulen heeft zelfs een wild paard getemd en afgericht.''

De eigenaar kijkt nu met andere ogen naar het groepje. ,,Goed, dan zie ik jullie vanavond wel weer. En denken jullie eraan dat wanneer je de dieren op stal zet, jullie ze goed afdrogen en vers water geven?''

Billy stoot haar zus aan. Het is net alsof ze hun vader hoort praten. Oom Koos kan ook op zo'n barse toon tegen zijn huurders van paarden spreken, maar hij meent er net zomin iets van als kennelijk de eigenaar van deze manege. Ze weten maar al te goed dat er regels moeten zijn.

Bianca heeft een prachtig, fel paardje gekregen. Het is liefde op het eerste gezicht.

,,Jij hebt geluk, niet iedereen krijgt Robber,'' zegt Brigitta. Blijkbaar is dat de naam van de hengst. Hij ziet er prachtig uit en draagt het hoofd trots rechtop.

Daar gaat de groep. De meesten rijden op paarden, alleen Lucy, Brigitta en Pia berijden pony's.

,,Ik heb gewoon zin in een rustig ritje,'' zegt Pia, als de club van zes haar er op wijst dat een pony wel een vreemde keus is voor een clublid van de club van zes.

Katja heeft een prachtig paard gekregen en passeert Pia moeiteloos.

,,Hier gaan we de duinen in,'' zegt Lucy, terwijl ze oversteekt. ,,Ik heb mijn kaart voor het duingebied bij me. Zoals jullie weten, mag je in de duinen niet overal rijden,'' legt ze aan de anderen uit.

De meisjes op hun paarden waaieren wijd uit over het pad dat ze volgen. Het is een heerlijke dag en de zon maakt dat het groepje tieners snel verkleurt.

Bianca is in haar element, Robber is een fel paard. Bianca heeft het gevoel dat het Reinoud de Wilde is waar ze op rijdt; het is als een droom.

,,Bianca, zullen we wat dieper de duinen inrijden?'' stelt Lucy Voerendaal voor.

Bianca knikt. ,,Wij zijn hier niet bekend, dus lijkt het me het beste jullie maar op de voet te volgen,'' zegt ze, terwijl ze het vochtige haar naar achteren veegt.

,,Tjonge, wat schijnt die zon fel,'' zucht Pia, die moeite heeft om het stel bij te houden. ,,Waarom zoeken we niet een prettig restaurant op om wat in de schaduw te zitten?'' vraagt ze aan Katja Stein.

,,Waar wilde je zo'n uitspanning midden in de duinen vinden?'' lacht die. ,,Pia Donkers, jij hebt wensen die moeilijk te verwezenlijken zijn.''

Brigitta rijdt naar de meisjes toe. ,,Willen jullie wat drinken? Dat kan bij het pannekoekenhuis, het is wel een flink eind rijden, maar wel de moeite waard.''

Pia zucht. Ze zit niet zo gemakkelijk op de pony, als je op een paard gewend bent, valt een pony berijden toch tegen.

,,Goed, Lucy, we volgen je op de voet!'' roept Brigitta naar haar tweelingzus.

Die knikt en slaat een ander pad in. ,,Het is een

prachtige tocht, maar ik dacht dat het voor de eerste keer wat te vermoeiend zou zijn," zegt ze tegen de clubleden.

Bianca lacht. ,,We hebben de hele dag de tijd en als het daar leuk is, willen we er graag een eind voor rijden."

,,Kunnen we niet even stoppen om wat te eten en te drinken," klinkt het smekend uit de achterhoede.

,,Katja en Pia, jullie zijn onverbeterlijk," zucht Billy, terwijl ze naar een plek zoekt waar ze de paarden kunnen vastbinden.

,,Goed, maar niet langer dan een kwartier, anders hebben jullie helemaal geen fut meer," zegt Bianca op ernstige toon. Ze kent het ritueel als er gegeten is dan willen de dames een middagslaapje doen en zo glijden de vakantie-uren ongemerkt door de vingers. Nee, daar zal Bianca wel een stokje voor steken.

,,Maak daar de paarden maar vast," wijst Lucy, terwijl ze de teugels van haar pony aan een berk bindt. Ze geeft het dier een beetje water uit haar veldfles. ,,Zo, beestje, jij zult het ook wel warm hebben," praat ze tegen haar kameraadje.

,,Eindelijk rust," zucht Pia en ploft op de grond, maar staat weer even vlug op, terwijl ze heen-en-weer danst en ,,au'' roept. Ze maakt zulke gekke bokkesprongen dat de anderen daar wel om moeten lachen.

,,Pia, op wat voor beest ben je nu gaan zitten?'' Bianca tuurt op de plek waar Pia heeft gezeten, maar ze kan niets vinden.

Maar dan ontdekt Billy een stel rode mieren die duidelijk in hun werkzaamheden door Pia zijn gestoord. ,,Daar lopen de boosdoeners,'' wijst ze met een lach op haar gezicht.

,,Nou, je bent er ook klaar mee als iemand zo maar bovenop je gaat zitten,'' zegt Mary Kruisen ernstig.

Dan breken de lachsalvo's los.

Mary knikt. ,,Zo'n mier is maar klein,'' legt ze ook nog uit.

Pia is voorzichtig ergens anders gaan zitten, nadat ze zorgvuldig de grond heeft geïnspecteerd.

,,Wie wil er een boterham,'' vraagt Lucy. Daar zeggen ze geen nee tegen. Ze zijn nog niet zolang onderweg, maar iets te eten, gaat er altijd wel in.

,,Gaan we nu nog naar die uitspanning?'' vraagt Pia met volle mond.

Lucy lacht. ,,Ja, juffertje ongeduld, dat doen we, maar het is nog wel een eindje rijden.''

Pia trekt een ongelukkig gezicht. ,,Met deze

warmte?" vraagt ze ontzet.

Nadat ze iets gegeten hebben en zusterlijk de limonade hebben gedeeld, stijgen ze weer op hun paarden. Je wordt wel loom van de zon, maar gelukkig zijn er in de duinen ook schaduwrijke plekjes, anders is het niet te doen. De paarden hebben ook duidelijk last van de warmte.

,,Wacht maar tot we bij het pannekoekenhuis zijn, daar krijgen jullie te drinken," zegt Lucy tegen de paarden. Bianca moet erom lachen. Zij praat ook tegen de dieren, dat heeft ze al gauw in het paardrijkamp geleerd.

De rit door de duinen is wel mooi, maar voor rijdier en ruiter vermoeiend, vooral omdat de zon genadeloos schijnt.

,,Daar ligt het pannekoekenhuis," wijst Brigitta, nadat ze lange tijd door de prachtige natuur hebben gereden.

Pia slaakt een zucht van verlichting. Het lijkt wel of ze in het zadel zit vastgesmolten. ,,Mensenkinderen, wat een hitte," mompelt ze in zichzelf.

Het is behoorlijk druk op het gezellige terras, dat zien ze in één oogopslag als ze aan komen rijden.

,,We moeten bij het hoofdgebouw rechtsaf slaan, daar zijn de stallen," zegt Lucy, terwijl ze vermoeid uit het zadel springt. De paarden zijn wel aan rust toe.

De meisjes kijken hun ogen uit. Ze hebben bij een uitspanning nog nooit zo'n goede outillage voor paarden gezien. Bij Bianca en haar vriendinnen in de buurt zijn zulke uitspanningen niet te vinden.

,,Ik wil een enorm glas limonade met wel duizend ijsblokjes,'' laat Katja zich ontvallen.

Daar hebben ze allemaal wel zin in, maar eerst moeten de paarden worden verzorgd. Ze maken de dieren naast elkaar vast. Er kunnen drie paarden naast elkaar staan. De meisjes doen de hoofdstellen af, en ze pakken de halsters die klaar liggen om te gebruiken.

Lucy pakt meteen een emmer en haalt vers water. Ze kan wat bix pakken uit een zak die er staat. Ze is ook hier duidelijk kind aan huis. Ze maken de singels een paar gaatjes losser. Er is een kleine bak waarin verschillende paarden aan het rollen zijn. Maar omdat je dan ook de zadels van de ruggen moet nemen, zien de meisjes ervan af, want het zadelen bij deze warmte is geen pretje.

De meisjes zijn nu echt aan een verfrissing toe. Ze staan even te kijken bij de bak waar nog enkele meisjes staan.

Brigitta schijnt het drietal te kennen. ,,Nicole...''

Het meisje met het smalle gezichtje en het sluike, blonde haar draait zich om. ,,Hoi, Brigit, ben je ook weer aan het rijden?''

Brigitta knikt en stelt Bianca en haar vriendinnen voor.

,,Je kent mijn vriendinnen, Karin van Eyndhoven en Jeanine? Wij hebben onze lievelingen weer meegekregen.''

Bianca kijkt geïnteresseerd naar de paarden.

,,Dit is Zoë, ze is driekwart Arabier en dat kun je goed zien,'' legt Nicole uit. ,,Ik heb Twiggy, dat is mijn lievelingspaard of eigenlijk is ze een pony en Karin rijdt dit keer op Buf.''

,,Hebben jullie al iets gedronken?'' informeert Lucy die nu langzaamaan haar mond steeds droger voelt worden.

De meisjes schudden het hoofd. ,,We stonden net even te kijken naar die grappige paarden in de bak, dat stel van ons staat op stal. We hebben geen zin om het zadel er af te halen,'' lacht Nicole.

Pia loopt snel vooruit en zet een paar tafeltjes bij elkaar. Het was al vol op het terras, maar nu de hele club van zes, de Hoornse ruiters, de tweeling, Marise en de drie nieuwe meisjes er zitten, wordt het er niet rustiger op. Ze bestellen allemaal hetzelfde.

Pia kijkt met een scheef oog naar de kaart. Mmm, dat ziet er allemaal lekker uit, allerlei soorten pannekoeken en ook slaatjes. Zal ze wat bestellen of zullen de anderen dat gek vinden? Ze kijkt eens naar Katja Stein. Katja heeft vaak dezelfde ideeën en dezelfde trek. Katja heeft de blik die Pia op de kaart werpt al gezien. Tja, wat zullen ze doen. Je kunt moeilijk zo'n groot gezelschap trakteren op een pannekoek, en alleen eten... dat kun je voor je fatsoen ook niet doen. Ze haalt haar schouders op.

Pia haalt diep adem en zegt: ,,Wie heeft er ook zin in een pannekoek?''

De gesprekken die voornamelijk over paarden gaan, stokken.

Bianca kijkt naar haar mollige vriendin en zegt verbaasd: ,,Maar we hebben kort geleden nog boterhammen gegeten.''

Pia schudt haar hoofd. ,,Die pannekoek is niet als maaltijd bedoeld, maar als een traktatie.''

Bianca schiet in de lach. ,,Trakteer jij ons soms?'' zegt ze plagend.

Pia kleurt. Ze is meteen al haar vakantiegeld kwijt als Bianca dat van haar verwacht. Ze pakt haar portemonnee en dan de kaart.

,,Pia, het is maar plagerij, hoor, ik hoef geen pannekoek, ik neem nog een glas limonade,'' zegt Bianca. ,,Neem jij maar een pannekoek, hoor, als je daar zin in hebt.''

Pia haalt opgelucht adem. Katja weet nu ook dat het sein op groen staat. Terwijl de meeste van de clubgenoten nog wat te drinken bestellen, nemen Katja en Pia een wagenwiel van een pannekoek.

Nicole, Karin en Jeanine kijken ontzet toe hoe de twee vriendinnen moeiteloos de pannekoek naar binnen werken.

,,Krijgen ze daar geen last van?'' Nicole spert haar ogen wijd open. ,,Ongelooflijk, die krijg ik in geen week naar binnen.''

,,Ach, daar zijn wij zo langzamerhand wel aan gewend,'' zegt Lies van Dungen. ,,Onze vriendinnen draaien voor zo'n traktatie hun hand niet om.'' Ze gaat wat verzitten en drinkt met kleine slokjes van haar limonade. Daar heeft ze meer dan genoeg aan.

,,Zien we jullie nog?'' vraagt Nicole aan Lucy en Brigitta.

Die halen hun schouders op. ,,Geen idee, we hebben oom Jan beloofd te helpen bij het bollen pellen en verder willen we tochtjes maken in de buurt."

,,Jammer genoeg mag je hier niet langs het strand rijden," zegt Bianca. Daarmee komt ze bedrogen uit. Daar had ze zo haar zinnen op gezet om 's avonds bij schemering langs het prachtige strand te rijden, terwijl de golven rustig hun schuimkraag achterlaten op het vochtige strand. ,,Kun je niet stiekem rijden? Als het schemerig is, zal er toch geen politie of zo het je verbieden?" stelt Bianca voor.

,,Zet het maar uit je hoofd, Bianc, je zult zien dan word je juist gesnapt," zegt Brigitta op ernstige toon.

Bianca trekt diepe rimpels in haar voorhoofd.

,,Wat kun je nu voor kwaad doen als er toch niemand op het strand is?" Marise is het helemaal met haar vriendin eens.

Billy heeft ook haar zinnen op een strandtocht gezet.

De leden van de club zes kijken elkaar aan. Er wordt een stilzwijgende afspraak gemaakt. Marise voelt ook meteen aan wat Bianca van plan is. De Hoornse ruiters zijn te druk bezig met al hun verhalen over avonturen die ze samen met de club van zes hebben beleefd.

Dan vertrekken de drie meisjes uit de buurt en Lucy spreekt af dat ze elkaar nog wel op een avond zullen treffen.

,,Je hebt mijn telefoonnummer, hè?'' roept Nicole nog. Het nummer is de tweeling bekend.

,,Zullen wij ook maar weer opstappen, we hebben nog een behoorlijke tocht voor de boeg,'' zegt Brigitta.

Pia hijst zich overeind. Die pannekoek was niet mis, wat een grote, en Katja moet lachen om het ongelukkige gezicht dat haar vriendin trekt.

,,Tja, ik heb je gewaarschuwd,'' zegt Bianca, terwijl er ondeugende pretlichtjes in haar ogen verschijnen.

Pia hijst zich zuchtend in het zadel van de pony. Ze blijft wat in zichzelf mopperen, terwijl ze de terugreis aanvaarden.

Bianca rijdt met Marise voorop. Als Bianca een route een keer heeft gereden, weet ze de weg precies. Zelfs nu ze een kaart nodig hebben om te weten waar je wel en waar je niet mag rijden. Lucy en Brigitta rijden kwebbelend achter Bianca en Marise aan.

Bianca zit in gedachten verzonken op de rug van Robber.

Marise glimlacht: ,,Een kwartje voor je gedachten. Ik weet het wel, jij wilt toch een strandrit maken, waar of niet?"

Bianca knikt. ,,Mmm, we moeten maar zien hoe we dat voor elkaar krijgen." Bianca draait zich om naar Lucy en Brigitta. ,,Wat zijn de plannen voor vanavond?" wil ze weten.

,,We hebben vanavond onze maandelijkse clubavond," legt Lucy uit. ,,Jullie denken toch niet dat jullie de enigen zijn die een club hebben?"

,,Mogen wij daar ook naar toe?" vraagt Bianca.

Lucy lacht. ,,Dat hebben we eigenlijk al min of meer afgesproken. Wij hebben wel geen luxe clubhuis, maar we hebben de beschikking over een zolder bij een van de leden thuis."

,,Prima, dat kan gezellig worden," zegt Bianca tevreden. Ze stoot Marise aan. ,,Het zal ons wel lukken, ik wil langs het strand rijden of ik heet geen Bianca Vermeulen."

HOOFDSTUK 4

Een grappige avond!

,,Oom Jan, kunt u ons na het eten even naar Karin brengen?''

Oom Jan kijkt in het lachende gezicht van Lucy. ,,Karin, wie bedoel je? O ik weet het al, is het weer clubtijd? Je hebt geluk, ik moet vanavond met de volkswagenbus wat bollendozen ophalen, maar ik kom jullie precies om elf uur weer ophalen.''

Dat vinden de tieners prima. Anders hadden ze met het openbaar vervoer gemoeten en de bussen rijden onregelmatig in de avonduren.

Lucy en Brigitta zoeken wat spulletjes bij elkaar.

,,Wie zijn er nog meer lid van jullie paardrijclub?'' wil Marise van Wamelen weten.

Lucy somt op: ,,Cora, Lennie, wij tweetjes en natuurlijk het drietal dat we bij het pannekoekenhuis hebben getroffen, Nicole, Karin en Jeanine.''

,,Ik moet wel bekennen dat we de club pas hebben opgericht, nadat we bij jullie in Drenthe op paardrijkamp zijn geweest," zegt Brigitta eerlijk. ,,We vonden het zo'n leuk idee, maar omdat we nogal ver uit elkaar wonen, vergaderen we één keer in de maand en verder geven wij een paardrijblad uit, dat vier keer per jaar verschijnt."

Bianca knikt. ,,Dat is een heel leuk idee, daar hebben wij nog nooit aan gedacht!" Marise denkt hetzelfde.

,,We hebben een clubkas, waaruit we de postzegels en zo betalen. Kijk, ik heb de teksten voor deze maand al bij me, vanavond zullen we de blaadjes afdraaien op de stencilmachine die de moeder van Karin heeft. Zij is lerares en voor de school maken ze daar thuis ook de schoolkrant, vandaar."

Bianca grinnikt. ,,Nu dachten jullie: we hebben heel wat handen die ons kunnen helpen."

Lucy kleurt. ,,Nou ja, we dachten dat jullie het best leuk zouden vinden en natuurlijk is hulp altijd welkom."

,,Laat je door Bianca niet op de kast jagen," zegt Pia. ,,Zie je dan niet dat ze daar enorme pret aan beleeft."

Lucy kleurt weer verlegen. Ze kent Bianca Vermeulen nog niet zo goed en weet niet wanneer ze

54

nou wel of niet geplaagd wordt.

,,Het is goed hoor, Luus." Bianca slaat haar arm om de schouders van het kleurende meisje.

,,Dames, als jullie een lift willen hebben, moeten jullie nu instappen," dat is de stem van oom Jan. Hij moet nu vertrekken, anders loopt zijn afspraak in het honderd. En, logées of geen logées, hij moet zijn zaken voor laten gaan. Dat is tenslotte zijn boterham.

Het is wat je noemt een wagen volgeladen met... giechelende meisjes. De volkswagenbus is behoorlijk vol. ,,Je moet wel even aanwijzen waar Karin van Eyndhoven woont," zegt oom Jan. ,,Ik weet wel ongeveer waar het is, maar niet precies."

Lucy en Brigitta knikken.

Ze rijden een tijdje en Brigitta wijst aan dat ze nu rechtsaf en dan de tweede straat links moeten om bij het huis van Karin te komen.

,,Weten ze eigenlijk dat jullie met een hele optocht voor de deur staan?" vraagt oom Jan. Hij kijkt in zijn spiegel. Ze zijn met een behoorlijke groep. De club van zes, Marise en de Hoornse ruiters, aangevuld met Cora, Lennie en de beide nichtjes.

Lucy haalt haar schouders op. ,,Ik neem aan dat Karin thuis heeft verteld dat wij logées hebben."

,,Maar niet hoeveel'' plaagt oom Jan.

,,Nee, dat zal wel niet,'' geeft de tweede nicht als antwoord, maar anders is de verrassing eraf.''

,,Leuke verrassing, een complete invasie op zolder te krijgen,'' gniffelt Pia. Ze ziet in gedachten het gezicht van haar moeder al voor zich als ze zoveel mensen tegelijk naar huis zou meenemen.

,,Daar, oom Jan, we zijn er.''

Oom Jan stopt de zwaar beladen auto en de meisjes stappen uit. ,,Willen jullie om elf uur hier op me wachten?'' vraagt oom Jan nadrukkelijk. ,,Ik wacht geen minuut langer.''

Lucy en Brigitta knikken gehoorzaam. Het is immers al mooi dat ze van huis tot huis worden gebracht.

,,Daar woont Karin,'' wijst Lucy, terwijl ze haar vriendinnen meetroont naar de overkant. Karin en haar beide vriendinnen staan al voor het raam.

Karin doet open. ,,Gezellig, dat jullie er al zo vroeg zijn, dan hebben we de hele avond.''

Bianca stelt haar vriendinnen aan de moeder van Karin voor, die toch wel even wat beduusd kijkt naar de groep uitbundige tieners. Daar had haar dochter niets over verteld, wel dat de logeetjes vanavond ook zouden meekomen.

,,Ik heb de stencilmachine al naar de zolder gebracht. Gaan jullie maar, ik breng straks thee.''

Karin gaat de hele groep voor naar de zolder. ,,Kijk, hier is ons clubgebouw,'' zegt ze trots. ,,Hier komen we iedere maand een keer samen en dan verzorgen we ook ons clubblad. Willen jullie meedoen of vinden jullie dat niet leuk?'' vraagt ze aan Bianca.

Bianca lacht. ,,Ik vind het een enig idee, wat schrijven jullie zoal en hoeveel leden telt jullie clubblad?''

,,Hé, hé, wacht even, jullie lopen zo hard van stapel,'' dat is de stem van Nicole. ,,Als we eerst eens even een paar kussens bij elkaar scharrelen, zodat iedereen kan zitten. Daar, achter het gordijn, ligt nog een luchtbed, dat kunnen we ook gebruiken.''

Het duurt even, voordat alle tienermeisjes zitten.

,,Kijk, het zit zo, wij schrijven over de avonturen die we met onze paarden en pony's beleven en... we maken tekeningen van paarden en drukken die af,'' vertelt Nicole. ,,Verder hebben we naar een uitgever van een heel leuke serie paardenboeken geschreven en gevraagd of we bericht krijgen wanneer er weer een nieuw boek over paarden verschijnt en nu wachten we op antwoord."

,,Weet je, we kwamen pas op dit idee toen we terugkwamen van het paardrijkamp waar we jullie hebben ontmoet."

Bianca kijkt de kring rond. ,,Gek, daar hebben we nog nooit aan gedacht, het is een mooie manier om contact te houden met elkaar."

,,Ja, dat dachten wij ook."

,,Nou, we willen wel meedoen aan dit nummer en we willen ook lid worden van jullie blad, hoe heet het eigenlijk?"

Karin lacht verlegen. ,,Daar hebben we het nog niet over gehad. Ons blad heeft nog geen naam, maar het moet wel iets te maken hebben met paarden."

,,Goed, dan bedenken we vanavond gezamenlijk een naam. Marise, jij kunt vanuit jullie landgoed Vlaamse nieuwtjes sturen en wij vertellen over de club van zes en onze paarden. Zeg, Katja, de Hoornse ruiters hebben ook al heel wat avonturen meegemaakt," somt Bianca enthousiast op. ,,Tjonge, wat een fantastisch plan," oordeelt Bianca over haar eigen idee. ,,We sturen iedere maand een verslag aan de redactie, dat neem jij zeker op je, Karin?"

Karin knikt.

,,Prima geregeld, en jij bundelt de zaken.

Jammer, dat wij zo ver uit de buurt wonen, anders konden we de maandelijkse vergadering bijwonen," meent Bianca.

,,Nee, dat wordt qua reiskosten een te dure grap," meent Lies van Dungen. Daar zijn de anderen het helemaal mee eens.

,,Maar als wij kopij sturen en jullie groep verwerkt dat en stuurt ons dan het clubblad, dan houden we op die manier contact," zegt Billy.

,,Hebben jullie het clubblad al vol?" vraagt Bianca.

Karin schudt van nee. ,,We kunnen nog wel wat gebruiken. Weet jij iets?"

,,Mmm, ik kan wel iets schrijven over het paardrijkamp of over Pride, mijn nieuwste paard."

,,Eerst moeten we nog een naam bedenken," herinnert Marise van Wamelen hen.

,,Ik weet wat, Paardenplezier," zegt Lucy Voerendaal.

,,Mmm, veel plezier met paarden hebben we wel, maar om een clubblad zo te noemen..." Bianca trekt diepe rimpels in haar voorhoofd. ,,Het moet iets zijn dat ons bindt... dus het paard moet er in worden genoemd." Ze denkt duidelijk hardop en haar vriendinnen denken mee.

,,Kijk, we houden erg veel van onze paarden. Ik heb het: clubblad *Paardenliefde*," zegt Marise ineens.

Bianca springt overeind. ,,Dat klopt, dat hebben we gemeen! *Paardenliefde* zal ons blad heten."

Daar is de moeder van Karin. Ze torst een blad met daarop een stapel kopjes en bekers, op zoveel gasten heeft ze niet gerekend, dat is wel duidelijk.

,,We hebben een naam voor ons clubblad, mam. We noemen het *Paardenliefde*!" roept Karin enthousiast.

,,Jullie hebben er, geloof ik, meteen een aantal abonnees bij gewonnen, is het niet?" zegt haar moeder vriendelijk.

Karin knikt en helpt met het ronddelen van de kopjes.

Jeanine kijkt intussen na wat de anderen aan teksten hebben uitgetikt. ,,Mmm, we kunnen de eerste bladzijden vast stencillen, wie wil mij helpen?"

Verschillende leden van de Hoornse ruiters zijn opgestaan.

Bianca zit wat voor zich uit te dromen. Wat

grappig, in haar leven komen steeds meer vriend-
schappen door de liefde voor paarden.

,,Hebben we al een omslagtekening?'' vraagt
Nicole aan Karin. Nee, nog niet.

,,Pia, jij kunt leuk tekenen, maak jij een mooie
tekening voor het omslag van *Paardenliefde*,''
zegt Bianca tegen haar al even enthousiaste vriendin.

Pia kijkt een ogenblik verbaasd. Ze wist niet dat
Bianca haar tekeningen leuk vond.

Nicole pakt een speciale stencilpen en wijst Pia
aan binnen welke omlijning ze moet tekenen.

Het is een drukte van belang op de zolder, die
ineens wel wat klein is geworden, omdat er zoveel
aanwezigen zijn.

Marise is meteen aan een stukje over hun landgoed begonnen en Nicole heeft een typemachine
van beneden gehaald en tikt de teksten uit op sten-
cilpapier.

,,Ik wist niet dat we deze vakantie nog in de
journalistiek zouden belanden,'' lacht Bianca.
,,Trouwens, we kunnen ook nog een stuk over
Melle, het paard van de groenteman[*], schrijven,
dat kun jij wel doen, Billy.''

[*] Zie: Bianca op de stoeterij.

De meisjes schrijven en vergeten zo helemaal de tijd.

,,We sturen jullie later de kant-en-klare krant wel op, want er is nog heel wat werk te doen, voordat het blad helemaal klaar is," lacht Karin tevreden. Ja, ze krijgen al die teksten vanavond niet uitgetikt en gestencild, daarvoor is Nicole niet snel genoeg op de typemachine.

,,Weet je wat, we blijven nog een poosje. Lucy, Brigitta, Cora en jij, Lennie, jullie komen nog een dag helpen," beslist Nicole.

Dat willen de oorspronkelijke leden graag doen. Het blad *Paardenliefde* zal nu nog leuker worden dan tevoren, omdat ze zelfs uit België post zullen krijgen.

,,Het is dus goed afgesproken, jullie sturen iedere maand wat kopij naar ons op en ieder kwartaal brengen wij een nieuwe editie," zegt Nicole.

,,We zullen ook iets van contributie moeten overmaken, want papier en postzegels moeten immers worden betaald," zegt Billy Vermeulen praktisch. De anderen knikken.

Bianca houdt haar theekop omhoog en zegt: ,,Een toost op ons clubblad *Paardenliefde*, dat we maar leuke artikelen mogen schrijven."

Daar wil iedereen wel op proosten.

Lucy kijkt op haar klokje. ,,Jongens, we moeten opbreken, het is al bijna elf uur. Oom Jan verwacht ons precies om elf uur beneden.''

,,Ach, moeten we nu al weg,'' zegt Mary Kruisen teleurgesteld.

Ja, het is niet anders. De clubleden helpen nog snel de spullen wat op te ruimen, groeten de ouders van Karin en nemen dan afscheid.

Bianca glimlacht. De clubleden hebben er weer iets bij. Nu hebben ze niet alleen een clubhuis, maar ook een clubblad. En, niet te vergeten, een stel vriendinnen die ook helemaal paardengek zijn.

Oom Jan knikt tevreden als hij zijn logeetjes ziet staan op de plek waar ze hebben afgesproken. Zo is het goed. Maar rust krijgt hij niet op de weg naar huis. Het is een geklets en een geratel! Eén ding wordt hem duidelijk. De nichtjes en hun vriendinnen hebben een heerlijke avond gehad en daar gaat het tenslotte om. Natuurlijk moet hij alles aanhoren, over het clubblad en dat Bianca en haar vriendinnen in de toekomst ook van de partij zullen zijn. Oom Jan weet wel wat van bloembollen, maar van paarden heel weinig; hij gunt de tieners de pret die ze aan hun hobby beleven echter van harte. ,,Zo dames, we zijn weer thuis. Ik zou de bedden maar opzoeken, morgen is er weer een dag,'' zegt hij tegen de opgewonden tieners.

Ze begroeten tante Rietje nog even en krijgen van haar een glas karnemelk voor het slapen gaan. Ook zij moet natuurlijk het hele verhaal van het clubblad aanhoren.

,,Wel, dames, gaan jullie nu nog?'' vraagt oom Jan, als hij na een kwartier weer in de keuken belandt. Dan wordt het al snel wat rustiger op het terrein van de bollenhandelaar. Gelukkig zijn de paardrijdsters zo moe dat ze onmiddellijk inslapen.

HOOFDSTUK 5

O Bianca Vermeulen!

De volgende morgen zijn de meisjes behoorlijk laat wakker. Ach, al met al was het zeker twaalf uur, voordat de jongedames eindelijk gingen slapen.

,,Zullen we vandaag een beetje op het bedrijf helpen?'' vraagt Billy aan Bianca. ,,We hebben het eigenlijk al min of meer beloofd.''

,,En wat je belooft, moet je doen,'' zegt Bianca op ernstige toon. ,,Zeg, vanavond gaan we een strandtocht maken, wat vind je daarvan?'' vraagt Bianca plotseling.

Billy trekt haar wenkbrauwen op. ,,Je hebt toch gehoord dat je hier niet langs het strand mag rijden, hoe stel je je dat dan voor?''

Bianca heeft glimlichtjes in haar ogen. ,,Gewoon, ik heb paarden besteld bij de manege en wie er mee wil, gaat mee. Wie bang is om mee te rijden, blijft thuis,'' zegt Bianca nuchter. ,,Ach, en wat kan er eigenlijk gebeuren?'' Ze schudt haar donkere, sluike haar naar achteren. ,,Een strand-rit daar heb ik van gedroomd en dat laat ik me niet door een of andere verordening ontnemen."

,,Nou, ik zal dan wel polsen wie er mee wil," zegt Billy.

,,Marise gaat zeker mee," lacht Bianca.

,,Je zou wel Vermeulen kunnen heten," zegt haar nichtje. ,,Je bent trots, stijfkoppig en je hebt een hekel aan voorschriften," somt ze op.

,,Hoor wie dat zegt," lacht Bianca.

Billy gaat de kring rond en merkt dat er maar weinigen voelen voor de avondtocht.

,,We blijven vanavond lekker hier, oom Jan heeft beloofd dat we een kampvuur mogen maken," zegt Lucy tevreden. De Hoornse ruiters knikken.

,,Ik blijf ook hier," zegt Pia. Haar trekt het kampvuur meer aan; ze heeft voorlopig even haar bekomst van paardrijden.

,,Prima," knikt Bianca. Vanavond rijdt ze uit met Billy, Nel, Lies, Mary en natuurlijk Marise van Wamelen. Dus toch met zijn zessen. Natuurlijk proberen de anderen de vriendinnen over te halen om niet langs het strand te gaan rijden, maar tevergeefs. Wat Bianca in haar hoofd heeft...

Corrie de Keizer is echter zeer bezorgd. ,,Stel,

dat jullie verdwalen, wat dan, of als de politie jullie betrapt?"

Bianca doet niets anders dan lachen. ,,Wat zijn jullie bange wezels, we hebben toch wel meer iets gedaan wat niet helemaal volgens de regels was. Waarom zal er dan juist nu iets misgaan?"

Katja haalt haar schouders op. ,,Dit kan niet goedgaan," zucht ze, terwijl ze op een papiertje krabbelt hoeveel spullen ze moeten halen voor vanavond.

,,Wij gaan in ieder geval, dat staat vast," zegt Bianca beslist.

,,Nou, dan missen jullie een gezellige avond," zegt Pia. Het valt Bianca mee dat ze er niet ,,lekker puh" achteraan zegt.

,,Het is vakantie en iedereen doet waar hij zin in heeft," sust Marise de groep. Voor het eerst sinds ze de meisjes kent, is er verdeeldheid en dat vindt Marise niet prettig. In ieder geval gaat de tocht vanavond door. De Hoornse ruiters en Pia hebben overigens beloofd om de snode plannen van Bianca niet verder te vertellen.

,,Hoe laat willen jullie vanavond vertrekken?" vraagt Katja nog.

Bianca rekent even en zegt: ,,Tegen een uur of zeven, het blijft lekker lang licht, dus kunnen we een lange tocht maken."

Katja knikt alleen en gaat naar de anderen om geld te vragen voor de inkopen. ,,Moeten jullie niet eten vanavond?" vraagt ze nog aan de club van zes.

Bianca schudt haar hoofd. ,,We halen voor deze ene keer wel wat onderweg. Met dit warme weer lust ik echt niet zoveel eten."

Katja grinnikt. ,,Dat moet je mijn maag vertellen, ik heb altijd zin in eten of het nu warm is of niet."

De dag vliegt om op het bedrijf van Jan Voerendaal. Maar de bollen moeten nu eenmaal gepeld worden. Ze hebben allemaal een mand voor hun neus gekregen. Meneer Voerendaal zelf heeft de groep uitgelegd hoe ze de bollen moeten pellen.

,,Het valt toch nog tegen om dat snel te doen," zegt Nel Vermeulen, die naar de ervaren bollenpelsters kijkt die het in een enorm tempo doen.

,,Ach, je leert het snel genoeg," lacht tante Rietje, terwijl ze bekers vult met heerlijk sinaasappelsap. Dat gaat er wel in, want je wordt wel dorstig van dit klusje.

Katja en Corry vertrekken tegen de middag naar het dorp voor de inkopen, terwijl de rest van de ploeg vlijtig blijft pellen.

,,Ik stop ermee," zegt Bianca vastbesloten als ze op haar klokje kijkt. Het is inmiddels vier uur geweest en het is volgens haar welletjes. Je bent tenslotte niet met vakantie om alleen maar te werken.

Bianca en haar vriendinnen gaan zich verkleden en als Rietje Voerendaal verbaasd vraagt of ze niet eerst moeten eten, staat ze erop dat ze eerst een paar boterhammen eten voordat ze vertrekken.

,,Veel plezier," zegt Corry de Keizer, die ijverig bezig is vlees aan stokjes te rijgen.

Bianca heeft van de tweeling drie fietsen geleend en daarop rijden ze naar de manege.

Bij manege De Hoefslag staan er al paarden te wachten op het zestal.

,,Ik mag toch aannemen dat jullie voor donker terug zijn, nietwaar?" zegt de eigenaar van de manege.

Dat willen de meisjes wel beloven. ,,We hebben een kaart bij ons, dus kunnen we niet verdwalen," zegt Bianca zelfverzekerd.

,,We rijden eerst maar door de duinen nu is het nog te licht om langs het strand te gaan," zegt Marise. ,,Er zijn nu ook nog mensen aan het stand."

,,Goed, we maken eerst een tocht door de duinen en gaan dan later naar het stand," beslist Bianca. Tenslotte is het idee van haar uitgegaan.

Billy Vermeulen heeft dit keer een mooi paard gekregen en Bianca rijdt weer op Robber.

„Wat is het toch mooi hier," zegt Mary Kruisen zacht. Dat beamen de andere paardrijdsters.

Er zijn maar weinig mensen om deze tijd, de meesten zitten natuurlijk aan tafel. Wat genieten de meisjes van de tocht.

„Toch fijn, zo ouderwets met zijn zessen," laat Lies van Dungen zich ontvallen en ze kleurt ervan.

Bianca lacht. Ze heeft dezelfde gedachte gehad en zij vindt Marise gezelliger dan Pia met haar eeuwige gezeur.

Ze rijden met de groep de duinen in en volgen als het ware de kustlijn. Want daar is alles om begonnen, het strand. Het wordt steeds stiller in de duinen.

Als Billy op verkenning uitgaat, komt ze met de boodschap terug dat het strand vrijwel verlaten is.

„Nou, zullen we het dan maar wagen?" zegt Bianca en kijkt de kring rond. Laten we wel voorzichtig zijn dat de paarden niet te wild worden door het water, anders gaat er misschien toch nog iets mis en dat is niet de bedoeling." Ze ziet de ge-

70

zichten van haar vriendinnen. Zij hebben hetzelfde verlangen. Naar het strand en langs de vloedlijn in galop op de paarderuggen.

,,Joepie…" joelt Bianca en ze laat Robber draven. Het paard spitst de oren. Hij ruikt het zoute water en hinnikt volijk. Robber is bijna niet te houden als hij eenmaal op het strand is. Zoals de meeste paarden is hij dol op water. En het is heel gezond voor paarden om met de benen in zout water te lopen. Het verkoelt en zwellingen verdwijnen erdoor.

,,Kalm paardje, kalm aan," sust Bianca de jonge hengst, die van gekkigheid niet weet wat hij het eerst zal doen. De andere paarden komen achter Robber aan.

Nel Vermeulen en Mary kijken wat schichtig om zich heen. Stel je voor dat ze nu als kleine kinderen worden weggestuurd, daar moeten ze niet aan denken. Maar de enige overblijvers op het strand zijn wat verliefde paartjes, die hebben genoeg aan elkaar en kijken niet naar het groepje van zes dat vrolijk langs de waterlijn voortdraaft.

Wat genieten onze paardrijdsters. Ze denken geen moment meer aan het feit dat ze regels ontduiken, maar genieten van hun allereerste strandtocht. Ze komen immers uit een bosrijk gebied en rijden langs het strand is iets heel anders. Het is moeilijk onder woorden te brengen. Je voelt je heel klein, heel breekbaar in deze wijde wereld rijdend langs het water.

Ze gaan nu stapvoets en zijn opvallend stil. Je hoort allen de branding en het doffe gedreun van de paardenhoeven.

Er klinkt een schorre stem van een zeemeeuw, die laat weten dat hij niets van indringers op het strand wil weten.

Marise zucht diep en strekt haar armen boven haar hoofd. ,,Wat een prachtige natuur,'' zegt ze uit de grond van haar hart.

Daar zijn de anderen het helemaal mee eens. Ze draven voort en zien alleen maar de paarden en het strand.

De tieners merken niet dat er op hen wordt gelet. Ach, dat heb je niet in de gaten als je zo opgaat in het paardrijden. Maar het is de politie. Die komen net uit de duinen en hebben in de gaten dat er zes ruiters langs het water rijden. Ze besluiten om de meisjes te waarschuwen en ze een boete te geven, omdat het algemeen bekend is dat je in het zomerseizoen niet op het strand mag komen met je paard.

Terwijl de meisjes aan het draven zijn, naderen

de politiemensen de zes tieners.

De eerste die het in de gaten heeft, is Billy Vermeulen. Ze schiet overeind in het zadel. ,,Jongens, politie, we moeten maken dat we wegkomen!'' Haar stem klinkt wel wat benauwd.

Bianca kijkt achterom, ze lacht. ,,Dat wordt een achtervolging jongens, wie het eerste in de duinen is.'' Weg is ze.

De politiemensen kijken eerst verbaasd, maar het duurt niet lang of ze zetten de achtervolging in.

Bianca rijdt aan kop van het zestal. Haar gezicht straalt. Ze geniet. Nu hebben ze niet alleen langs het strand gereden, maar beleven ze ook nog een avontuur om straks te vertellen bij het kampvuur. Dat dit alles allemaal anders kan aflopen, daar staat ze geen moment bij stil.

De politie te paard weet precies hoe ze zoiets moet aanpakken. Immers, ze hebben zulke wilde achtervolgingen wel meer bij de hand gehad.

,,Johan, we kunnen ze mooi insluiten!'' roept de jongste agent tegen zijn collega. De andere agent begint plezier in deze achtervolging te krijgen. Het is immers geen grote misdaad om langs het strand te rijden en de meisjes laten een prima staaltje van paardrijden zien. Maar de meisjes weten natuurlijk niet dat de agenten zo mild over hen denken.

Bianca heeft het best naar haar zin en Robber luistert precies. Ze draaft en draaft en de anderen hebben geen enkele moeite om haar bij te houden.

,,Wat een machtige rit," grijnst Billy, terwijl ze haar paard het bevel geeft weer tot draf over te gaan.

Marise kijkt achterom. ,,Geen spoor van politie," geeft ze door.

,,Prima, we hebben ze afgeschud," zegt Bianca tevreden. ,,Jongens, zo'n rit wil ik wel iedere avond maken."

,,Mmm, en iedere avond zeker oom agent achter je aan," meesmuilt Marise van Wamelen.

Mary Kruisen heeft spijt dat ze zich voor deze avondrit heeft aangemeld. Een bekeuring is toch immers zonde van het geld.

,,Laten we maar terugrijden," zegt Lies van Dungen. Ze ziet warempel wit om haar neus.

Bianca kijkt achterom. De politie is verdwenen. ,,Ach, kind, we zijn ze kwijt." Bianca weet niet dat de politie is weggeroepen naar een zaak die belangrijker is dan een paar tieners die een overtreding begaan.

,,Rijden we nu terug?'' vraagt Mary Kruisen. Ze heeft er genoeg van. Bah, ze snapt niet dat Bianca dit zo leuk heeft gevonden.

Lies van Dungen schudt haar hoofd. ,,Bianca Vermeulen, jij bent me er eentje,'' zegt ze.

,,Straks weet de politie waar we de paarden vandaan hebben en pakken ze ons alsnog,'' zegt Nel Vermeulen.

,,Wel nee, meid, ze hadden gewoon genoeg van de achtervolging,'' meent Marise van Wamelen.

,,Zullen we morgenavond weer gaan?'' vraagt Bianca. Zij heeft de smaak te pakken gekregen door dit avontuur. Het antwoord van de anderen blijft uit.

,,Kom, laten we maar teruggaan,'' zegt Marise van Wamelen.

Ze rijden nu rustig twee aan twee over het duinpad in de richting van de manege De Hoefslag.

Bianca begrijpt niet dat haar vriendinnen niet hetzelfde gevoel hadden en ze besluit dat ze morgen dan maar in haar eentje deze rit zal herhalen, politie of geen politie.

Het begint schemerig te worden en als ze de paarden afleveren bij de manege is het al bijna donker.

Bianca bedenkt dat het heel spannend moet zijn

om alleen langs het strand te rijden. Ze vindt dat haar vriendinnen maar bang zijn. Eerlijk gezegd, valt haar dat een beetje van ze tegen.

Als ze bij huize Voerendaal aankomen, zit iedereen gezellig bij het kampvuur te smikkelen. Gelukkig is er nog genoeg over, want het avontuur heeft hen wel hongerig gemaakt.

Marise vertelt over hun tocht en Katja Stein zegt, dat ze blij is dat ze zijn thuis gebleven.

Jan Voerendaal kijkt ernstig. ,,Regels zijn er niet voor niets, wat heb je daar nou voor pret aan om je op te laten jagen door de politie.''

Bianca kijkt een beetje schuldig, al is het maar een héél klein beetje. Jan en Rietje Voerendaal kennen Bianca niet goed genoeg om door dat schuldige gezichtje heen te kijken. Bianca Vermeulen zal echt nòg weleens de regels aan haar paardrijlaars lappen. Daar is ze een Vermeulen voor. Ze knabbelt aan het vlees en vertelt met glinsterende ogen hoe ze de politie hebben afgeschud. Jan en Rietje Voerendaal moeten toch wel even lachen om de wijze waarop ze dit vertelt. Maar Jan Voerendaal waarschuwt haar toch niet weer zulke grapjes uit te halen.

HOOFDSTUK 6

Een nare ervaring, maar toch...

De volgende ochtend heel vroeg constateert Bianca dat de anderen hebben afgesproken om naar Karin van Eyndhoven te gaan. Dit keer gaan ze met de bus en ze blijven weg tot de namiddag. Bianca heeft maar één ding in haar hoofd en dat is dat ze op Robber langs het strand wil rijden. ,,Ik denk dat ik niet meega naar Karin," zegt ze tegen Marise. ,,Ik blijf hier... ik schrijf namelijk een artikel voor het clubblad," zegt ze hakkelend. Bianca Vermeulen, je bent niet eerlijk, klinkt er een stemmetje diep in haar. Ze moet een smoes bedenken. Ze wil gewoon weer langs het strand rijden en als er niemand met haar mee wil...

Marise kijkt haar vriendin argwanend aan. ,,Je kunt het artikel toch ook bij Karin schrijven," zegt ze logisch.

Bianca schudt heftig met haar hoofd. ,,Nee, het is me daar veel te druk. Ik wil me er rustig op kunnen concentreren." Weer kleurt ze en wendt maar gauw haar gezicht af.

Het is nog heel vroeg en als de vriendinnen naar tante Rietje lopen om te ontbijten, pakt Bianca snel haar fiets en rijdt in de richting van manege De Hoefslag. Robber staat al op haar te wachten.

,,Blijf je de hele dag weg?" wil de eigenaar van de manege weten.

Bianca haalt haar schouders op. ,,Dat weet ik nog niet," zegt ze. Ze zadelt Robber en rijdt via de duinen rechtstreeks het pad af naar de zee.

De zee ligt er dromerig bij in het ochtendlicht. De zon is nog niet op en er hangt een waas boven het water.

Bianca kijkt rond. Ze kan best even langs het water rijden. De politie zal nu nog wel niet op het strand zijn. Robber en Bianca zijn in hun element. Het paard hinnikt vol vreugde als hij met zijn benen hoog opgetrokken door het water rijdt. Bianca is vergeten dat ze zomaar zonder de anderen iets te zeggen van het terrein van de Voerendaals is vertrokken. Ze is één met het paard en geniet van de rit die ze maakt. Laat de anderen maar werken aan het clubblad, dit is een dag die ze nooit zal vergeten.

Er is geen levende ziel op het strand te bekennen. Zelfs de strandjutters hebben de aangespoelde stukken hout nog niet opgehaald.

,,Kom, Robber, we gaan lekker in galop,'' praat Bianca tegen het mooie paard, dat gewillig naar Bianca luistert. Die kans krijgt hij niet vaak op de manege en hij wil zijn vrijheid dan ook benutten.

Bianca krijgt maar niet genoeg van de tocht over het prachtige strand. Kijk nou eens, daar komt de zon. Het zal nu snel met de rust aan het strand gedaan zijn, bedenkt ze. Immers, als de zon verschijnt, zullen straks de zonaanbidders de rust aan het strand verstoren.

Bianca kijkt op haar klokje. Ze kan nog een uurtje rijden en daarna zullen Robber en zij hun heil in het duin moeten zoeken. Dat haar vriendinnen inmiddels eerst naar haar hebben gezocht en daarna met de bus naar Karin zijn vertrokken, daar heeft ze natuurlijk geen weet van.

,,Wat vreemd, dat Bianca ons niets heeft gezegd,'' zegt Billy een beetje gepikeerd.

,,Zij was zo enthousiast over ons clubblad, waar zal ze naar toe zijn?'' vraagt Katja Stein zich af.

Marise schudt het blonde haar naar achteren. ,,Dat lijkt me niet moeilijk voor te stellen, jullie zeggen zelf altijd dat Bianca van alles bedenkt. Nou toen wij gisteren terug wilden, heeft Bianca zichzelf nog een tochtje langs het strand beloofd en daarom heeft ze de smoes verzonnen dat ze een artikel zou schrijven," raadt Marise nuchter.

Van dat alles weet Bianca niets. Ze heeft Robber meegenomen naar het duin en heeft een fijne duinpan uitgezocht. ,,Zo, Robber, nu hebben we even pauze," zegt Bianca tevreden. Haar maag begint intussen wel te rammelen; had ze maar een paar boterhammen meegenomen. Ach, straks zal de hamburgerman wel bij het strand staan, dan haalt ze wel iets. Ze vouwt haar handen onder haar hoofd en zucht. Zo is het leven goed. Eigenlijk best fijn om een moment zonder al je vriendinnen te zijn.

Robber hinnikt. Het dier heeft snel genoeg van het stilstaan, daarvoor is hij niet meegekomen, hij wil actie. Hij hinnikt nog een keer.

,,Ja, mijn beestje, we gaan zo weer verder," praat Bianca tegen het paard. Ze hijst zich even later weer in het zadel en kijkt naar de lucht. Hé, wat ziet die lucht er ineens vreemd uit. Zo diep grijs, en het is zo warm geworden dat er zomaar zweetdruppels op het voorhoofd van Bianca ontstaan. Ze kijkt naar de duintop. Als ze daar opklimt, kan ze mooi maar het strand kijken. Bianca klimt en kijkt naar het strand waar de bezoekers, die er eigenlijk nog niet zo lang kunnen zijn, haastig hun spullen weer opruimen om te vertrekken.

,,Robber, weet je wat ik denk? Ik denk dat we straks het strand weer voor onszelf hebben,'' zegt ze tegen het paard.

Robber hinnikt. Het is net alsof hij Bianca wil waarschuwen voor een naderend onheil, maar Bianca is niet bang voor een buitje. Ze besluit om zodra de laatste gasten zijn vertrokken weer naar het strand te rijden. Daar heb je immers nog meer de ruimte dan in de duinen. Ze zal van een onweersbuitje echt niet smelten en zolang zal die bui niet duren.

,,Kom, Robber, de mensen zijn vertrokken, nu hebben wij het strand weer voor onszelf,'' zegt ze tegen de jonge hengst. Robber voelt klam aan. Bianca lacht. Dit is ook geen weer voor de politie, dus van die kant hoeft ze niets te vrezen. ,,Kom, Robber, we gaan in galop,'' zegt ze tegen de hengst.

De oren van het paard spitsen zich en daar gaan ze. Een twee-eenheid die alleen Bianca Vermeulen met haar rijdieren bereikt. Bianca voelt zich één met de natuur. Ze bedenkt zich nogmaals dat het jammer is dat haar vriendinnen zich dit laten ontgaan. Ze draaft en draaft en Robber geniet minstens zoveel als Bianca.

Donkere wolken pakken zich nu aan de hemel samen. Het is ongelooflijk hoe snel de lucht donker wordt.

,,We rijden nog een paar kilometer Robber en dan gaan we terug,'' zegt Bianca tegen de hengst. Oei, daar is de eerste lichtflits al.

Robber hinnikt angstig en legt de oren plat in de nek. Hij is geschrokken.

,,Stil maar, mijn paardje, stil maar, ik breng je veilig naar huis,'' praat Bianca tegen haar rijdier. Maar als er een harde slag klinkt en weer een flits de hemel doorklieft en over het water schiet, wordt het paard dol van angst. Hij wil maar één ding en dat is vluchten.

Bianca kan praten wat ze wil, maar Robber wil en kan niet meer luisteren. Het paard legt de oren plat en als de volgende lichtflits over het water schiet gaat het op de achterste benen staan en zet het daarna op een lopen.

Bianca is heel wat gewend, maar een paard in doodsangst is nieuw voor haar. Ze klemt haar benen stevig om het paard, maar dat geeft haar weinig houvast. De teugels glippen uit haar handen en als de volgende donderslag volgt, gooit Robber Bianca uit het zadel. Met een boog belandt ze in het zand en het paard spurt weg in de richting waar hij de manege vermoedt.

Even ligt ze versuft in het korrelige zand en dan merkt ze tot haar grote schrik dat haar voet verschrikkelijk pijn doet. ,,Au." De tranen springen haar in de ogen. Ze gaat voorzichtig zitten. Haar enkel, er is iets fout met haar enkel, en haar hoofd. Bianca voelt een stekende pijn in haar hoofd. Er loopt iets kleverigs langs het haar. Misschien heeft ze wel een gat in haar hoofd. Wat gek, zo hard is ze toch niet gevallen, maar als Bianca om zich heen kijkt, merkt ze dat ze met haar hoofd op een stuk wrakhout terecht moet zijn gekomen.

Daar zit Bianca Vermeulen, zonder paard, terwijl de bliksem de wolken doorklieft en al haar vriendinnen ver weg zijn. En als het onweert, is het levensgevaarlijk om zo alleen op het strand vlak bij het water te zijn. O o wat is ze toch onverantwoordelijk bezig geweest. Dat alles flitst door Bianca heen, terwijl ze het bewustzijn verliest.

Robber, waar is Robber? Dat is het eerste wat bij Bianca opkomt als ze haar ogen weer opendoet. Ze ziet de omgeving wat vaag. Ze is behoorlijk hard neergekomen, merkt ze wederom op. Alles doet haar pijn en o haar hoofd...

Het ziet ernaar uit dat het toch gaat regenen en

zo alleen op het strand is onder normale omstandigheden mooi, maar bij onweer heeft het iets griezeligs.

Bianca probeert nog een keer op te staan, maar nee, hoor, ten eerste is ze duizelig en ten tweede kan ze haar ene been niet neerzetten zonder het uit te gillen van de pijn.

,,Je hebt je mooi in de nesten gewerkt, Bianca Vermeulen," huilt ze in zichzelf. Wat nu? Bianca kijkt rond. Er is hier geen plek om beschutting te vinden. Naar het duin kan ze niet komen. Haar hoofd bonst en Bianca wil eigenlijk maar één ding, gewoon blijven liggen op het vochtige strand. Voor het eerst in haar leven voelt Bianca zich hopeloos verlaten. Zij die voor niets en niemand bang is, heeft nu moeite om haar tranen en angst de baas te worden.

Zal Robber direct naar de manege zijn teruggelopen en zal de eigenaar dan begrijpen dat Bianca iets overkomen moet zijn? Dat is de enige hoop die Bianca kan koesteren. Er is immers niemand op het strand te zien. Paarden zijn slim en Robber maakt daarop vast geen uitzondering. Als het paard alleen komt aanlopen, gaat de eigenaar van de manege misschien zoeken of belt hij naar de familie Voerendaal.

Het is je eigen schuld dat je hier zo ligt, Bianca Vermeulen, bedenkt ze steeds weer wanhopig. Bij de Voerendaals denken ze vast dat zij mee is naar Karin en haar vriendinnen, misschien zeggen ze wel dat het een vergissing moet zijn. Dat alles flitst door haar pijnlijke hoofd, terwijl ze probeert wat makkelijker te gaan liggen. Au. Wat doet haar enkel pijn. Bianca Vermeulen, één keer moest het ervan komen, bedenkt ze weer.

Het onweer klinkt zeer angstaanjagend boven het strand. Bianca kijkt naar de hemel waarlangs de grillige bliksemlichten schieten. Hoelang zal ze hier nu al liggen, een uur? Ze heeft geen klokje om. Als het nu maar niet gaat regenen, want dan wordt ze kletsnat. Bianca sluit haar ogen. Hoelang zal ze zo nog moeten blijven liggen? Zou Robber hulp gehaald hebben?

Maar er is geen mens te bekennen, geen Robber en geen hulp. Zelfs de politie zou nu welkom zijn. Iedereen overigens die Bianca uit haar benarde positie kan verlossen.

De onweersbui is inmiddels overgedreven. Ineens hoort Bianca iets boven het geluid van de branding uit. Zou Robber hulp hebben meegenomen? Voorzichtig komt ze overeind. Oei, wat is ze duizelig. Ze wil roepen, maar de kracht ontbreekt haar.

Bianca Vermeulen, dit keer ben je duidelijk te ver gegaan met je wilde plannen, suist het in haar hoofd. Door een waas ziet ze een paar silhouetten. Komt daar hulp of verbeeld ze het zich? Nee, er komt hulp! Ze ziet het silhouet van een paard. Bianca moet haar ogen weer sluiten. De duizeligheid overvalt haar opnieuw. Wat kun je je zo machteloos en alleen voelen, door iedereen in de steek gelaten. Tranen springen Bianca in de ogen en niet alleen van de pijn. Zij heeft haar vriendinnen in de steek gelaten door niet mee te gaan en haar eigen zin door te drijven. Dat bedenkt ze, terwijl de silhouetten steeds dichterbij komen. Ze hoort stemmen als door een dikke deken.

,,Zie je wel, daar ligt ze, schiet op, Bianc, Bianca, wij zijn het!''

Bianca opent moeizaam haar ogen. Ze kijkt in het bezorgde gezicht van Billy. Ze is niet alleen, Marise, Lies en Nel zijn bij haar.

,,Wat is er gebeurd, waar is Robber?''

,,Hebben jullie hem niet gezien...? Ik heb vast iets gebroken... mijn hoofd bloedt, ik ben misselijk, hoe komen jullie hier...?'' vraagt ze moeizaam.

Marise strijkt het haar uit Bianca's ogen. ,,We

zijn niet te lang bij Karin gebleven en we maakten ons zorgen. Ik wist wel dat jij naar het strand zou gaan en toen kwam het onweer en... ach, verder niets, we zijn er immers. We halen je hier wel weg,'' zegt Marise. Terwijl Bianca haar ogen weer sluit, vraagt Marise aan Billy: ,,Hoe krijgen we haar hier vandaan? Ze zakt steeds weg. Misschien valt ze als we haar willen laten staan. Je weet dat je een slachtoffer altijd moet laten liggen. Iemand moet hulp halen. Ik blijf wel zolang bij haar, haasten jullie je.''

Een nieuwe onweersbui is losgebarsten en trekt patronen door de hemel. Bianca rilt.

Pas door de lichtflitsen ziet Billy hoe wit het gezicht van Bianca is. ,,Is er geen reddingbrigade?'' vraagt ze. ,,Die zijn hier toch overal? Kom op, we moeten hulp halen, we kunnen haar niet op een paard zetten, ze ziet zo vreselijk wit. Misschien heeft ze een hersenschudding of zo.''

Nel en Billy vertrekken, ieder een paard aan de teugels meevoerend. Lies blijft met tranen in haar ogen samen met Marise achter. Het is niet goed met Bianca Vermeulen. Toegegeven, het is een beetje haar eigen schuld, maar zoals Bianca daar ligt, wens je niemand toe. Het begint te regenen. Het strand ziet er verlaten en triest uit.

Bianca, hun grote vriendin, altijd in voor avontuur, is nu wel in grote nood en dat maakt dat Lies en Marise echt radeloos zijn. Inmiddels zijn Billy en Nel de duinen in gereden. Ze vinden een strandjutter die de meisjes precies uitlegt waar ze iemand van de reddingbrigade kunnen vinden.

,,Die hebben een jeep, dat is gemakkelijker dan een patiënt te paard vervoeren," roept hij de beide meisjes nog na.

Die luisteren al niet meer. Voor hen is maar één ding belangrijk: Bianca heeft hulp nodig. O laat Bianca niet iets ergs zijn overkomen, bedenkt Billy.

Gelukkig is de post van de reddingbrigade bemand en als de beide meisjes doornat en met geschrokken gezichten vertellen waar het over gaat, zegt de jongste van de beide mannen dat zij dit varkentje wel even zullen wassen.

,,Rijden jullie maar vast terug naar de manege, want zowel jullie als de paarden zijn kletsnat. En laat de manegehouder naar het ziekenhuis bellen dat we een vrachtje voor ze hebben."

Billy springen de tranen in de ogen.

,,Ach, niet huilen, kindje, het komt vast wel goed, we vertrekken meteen."

Billy en Nel rijden naar de manege waar de manegehouder net bezig is Robber af te drogen die trillend van angst is komen aanlopen.

,,Bianca moet naar het ziekenhuis. We hebben haar op het strand gevonden en ze heeft vast haar enkel verstuikt en een hoofdwond.''

Nu begrijpt de man waarom Robber alleen is komen aanlopen.

Billy's verhaal is wel wat onsamenhangend, maar toch belt de manegehouder onmiddellijk naar het ziekenhuis om te melden dat er een jeep van de reddingbrigade met iemand onderweg is.

,,Drinken jullie eerst maar een kop thee,'' zegt de manegehouder, terwijl hij twee kommen volschenkt.

De tanden van de nichtjes klapperen tegen de kom van de zenuwen. Wat een avontuur! Dit keer zal Bianca er geen genoegen aan beleven.

,,Ik breng jullie straks wel naar de Voerendaals,'' zegt de manegehouder, maar help me eerst even de dieren in hun boxen zetten, dan sluit ik voor vandaag, want met dit beestenweer worden er geen paarden naar buiten gestuurd,'' besluit hij op ernstige toon.

De jeep heeft weinig moeite om op het strand te komen waar de beide vriendinnen bij Bianca de wacht houden. Ze ligt doodstil en dat maakt Marise en Lies heel angstig.

,,Gelukkig dat u er bent, ze heeft de laatste minuten niets meer gezegd," zegt Marise met trillende stem.

,,Stap maar in, we brengen haar eerst naar het ziekenhuis en dan breng ik jullie naar huis."

Je kunt zien dat de mannen van de reddingbrigade zulke dingen eerder bij de hand hebben gehad. Ze schuiven Bianca op een brancard en zijn zo weer vertrokken. De regen blijft ondertussen bij stromen neerkomen.

,,De twee meisjes die ons waarschuwden, heb ik naar de manege gestuurd, daar hoeven jullie je geen zorgen meer over te maken," zegt een van de redders.

De rit naar het ziekenhuis duurt voor het gevoel van de meisjes eindeloos. Bianca wordt meteen bij aankomst naar binnen gebracht en even later staan beide vriendinnen verloren in de ziekenhuishal.

,,Morgen ziet de wereld er vast weer heel wat zonniger uit, jullie vriendin is in goede handen," zegt de man van de reddingbrigade.

De beide tieners knikken. Dat zal allemaal best, maar dat beeld van die stille Bianca laat hen niet los.

,,Kom, ik breng jullie even thuis. Jullie kunnen hier verder toch niets meer uitrichten,'' zegt een van de mannen.

Marise en Lies laten zich meetronen, terwijl ze als verdoofd achter in de jeep plaatsnemen.

Als ze bij de Voerendaals aankomen, merken ze meteen dat iedereen al van het ongeluk op de hoogte is. Tante Rietje heeft rode ogen, ze heeft gehuild. Tenslotte draagt zij zo'n beetje de verantwoordelijkheid voor haar logées.

De mensen van de reddingbrigade krijgen thee en Marise en Lies worden eerst naar de bollenschuur gestuurd om droge kleding aan te trekken. Daar vinden ze de hele, verslagen groep. Billy en Nel zijn ook alweer thuis en iedereen voelt zich duidelijk miserabel.

,,Kunnen we niet bellen om te vragen wat er precies aan de hand is met Bianca en moeten we niet naar haar ouders bellen?'' vraagt Lies van Dungen.

,,Ben jij betoeterd, naar haar ouders bellen. Als ze horen dat Bianca een ongeluk heeft gehad, laten ze ons nooit meer samen met vakantie gaan,'' zegt Nel geschrokken.

,,We moeten eerst maar even afwachten,'' zegt Billy zakelijk, maar er klinkt in haar stem ook wel iets van verdriet door.

,,Hadden we maar geweten dat ze weer langs het strand wilde gaan rijden, dan hadden we het haar misschien uit het hoofd kunnen praten," zucht Marise.

,,Maar ja, dat is nakaarten en Bianca is geen type om in zeven sloten tegelijk te lopen," meent Katja.

,,Het komt door het onweer dat zo maar opkwam, dat paard moet gek van angst zijn geweest," merkt Billy op.

Zo zitten de meisjes verslagen bij elkaar, totdat het etenstijd is. Zelfs aan tafel bij de Voerendaals is het nu niet gezellig.

,,Ik zal zo het ziekenhuis even bellen om te horen wat de eerste berichten zijn," zegt Jan Voerendaal.

Na het eten komt oom Jan meteen zijn belofte na en gaat het ziekenhuis bellen.

,,En…?" vragen de tieners als hij de hoorn op het toestel legt.

,,Ze heeft geluk gehad, ze heeft een gescheurde enkelband, gelukkig geen gebroken enkel en waarschijnlijk een lichte shock door de val. Morgen kunnen jullie je vriendin bezoeken en overmorgen is ze weer thuis."

Er gaat een luid gejuich op. De spanning is gebroken. Morgen zullen ze Bianca kunnen bezoeken.

,,Weet je wat, we maken een paardrijtocht en gaan dan op de terugweg bij Bianca langs,'' stelt Lucy voor.

HOOFDSTUK 7

Alles komt weer goed!

Als Bianca wakker wordt in het ziekenhuisbed ligt ze doodstil. Wat is haar overkomen? Ze kan zich niet veel meer herinneren. Waar is ze eigenlijk? Het laatste wat ze weet, is Robber... Robber heeft haar afgeworpen... heeft hij hulp gehaald? Flarden van de dag ervoor komen boven. Nee, ze heeft Billy gezien en Marise of heeft ze zich dat verbeeld?

De dokter heeft haar verteld dat ze wel geluk heeft gehad. Bij zo'n smak kun je best wat breken. Wat dom, nu is haar vakantie wel in het water gevallen. Ze kan met zo'n gescheurde enkelband niet op een paarderug zitten. Wat zeldzaam dom!

Bianca Vermeulen, je hebt het aan jezelf te wijten dat je nu aan het bed bent gekluisterd, neemt ze zichzelf onder handen. Er komen een paar tranen omhoog. Bianca ligt wat te suffen en te dromen. Moet ze nu meteen naar Drenthe terug? Ze mag de vakantie van haar clubgenoten en de anderen niet bederven.

In de middag als ze wat is opgeknapt, komt er bezoek voor Bianca. Eerst de man van de redding-brigade die haar van het strand gehaald heeft en dan... een bonte stoet tieners die te paard het ter-rein van het ziekenhuis oprijdt. De verplegers en verpleegsters hangen uit het raam. Zo'n schouw-spel zien ze niet iedere dag.

Bianca ligt voor het raam en ziet tot haar grote verbazing haar clubgenoten en de Hoornse ruiters aan komen rijden en ze zijn niet alleen. De vrien-dinnen van het paardrijkamp zijn ook van de par-tij en Lucy, Brigitta, Cora en Lennie. Ze zijn er allemaal. Het is een drukte van belang op het zie-kenhuisterrein.

Natuurlijk kunnen ze niet allemaal tegelijk bij Bianca op bezoek, er moeten ook een paar meis-jes bij de paarden blijven, dat is wel duidelijk.

Alleen Marise en Billy komen vijf minuten later de kamer binnen, terwijl de anderen genoegen moeten nemen met te zwaaien naar Bianca.

Bianca is door een verpleegster hoog in de kus-sens gehesen, zodat ze de meisjes goed kan zien. Wie heeft er zoveel echte vriendinnen? Ze voelt zich rijk en meteen alweer een stuk opgeknapt.

,,Hé, Bianc, we zijn blij dat alles zo is meegevallen," zegt Billy tegen haar nichtje.

Bianca kijkt verbaasd als Billy het verhaal van haar redding vertelt. Veel kan ze zich er niet meer van herinneren.

,,Hebben jullie al naar huis gebeld?" vraagt ze ineens aan haar twee vriendinnen.

Billy glimlacht en schudt haar hoofd. ,,Ik dacht dat het niet erg slim zou zijn ze te alarmeren," zegt ze eerlijk. ,,Ook niet in het belang van de club van zes, je weet precies hoe ouders zijn."

Bianca moet daarom lachen. Dat is typisch Billy, die denkt verder dan haar neus lang is.

,,Wat wil je zelf, blijf je nog een poosje bij de familie Voerendaal of wil je terug naar Drenthe?" informeert Billy.

,,Morgen mag ik weer uit het ziekenhuis, dan kunnen we altijd nog zien, al kan ik het paardrijden voorlopig wel vergeten," zegt Bianca op spijtige toon.

Billy is blij dat Bianca zo uit de strijd is gekomen. Het zag er gisteren allemaal behoorlijk zorgelijk uit.

,,Hoe kom je morgen naar huis? wil Marise weten.

,,Oom Jan komt me ophalen," lacht Bianca gelukkig. ,,Ze waren niet echt boos op me, al had ik dat wel verdiend, want het was heel gevaarlijk toen ik daar zo alleen op het strand lag," zegt ze niet zonder zelfkennis.

Onder het raam wordt het lawaaiiger.

,,We moeten weer opstappen, de anderen wachten natuurlijk met smart op ons verslag hoe het met je gaat," zegt Billy. ,,Rust maar lekker uit, we zien je morgen wel weer."

Billy en Marise verdwijnen naar beneden.

Bianca kijkt uit het raam. Ze ziet de groep even later al zwaaiend vertrekken en valt dan enigszins vermoeid weer terug in de kussens. Het bezoek is toch wel inspannend geweest.

,,Maar één ding is zeker," zegt ze zacht tegen zichzelf. ,,Bianca Vermeulen, je kunt je handen dichtknijpen met zulke vriendinnen."

De meisjes rijden tevreden naar huis.

,,Dus het is zeker dat Bianca morgen weer thuiskomt?" wil Lucy weten.

,,Dat heb ik je toch al verteld," zegt Billy.

,,Prima, dan moeten we zo even een vergadering beleggen. Trouwens, laten we niet vergeten Bianca's ongeluk in onze clubkrant te vermelden," zegt Brigitta.

,,Waar jij al aan denkt," zegt haar tweelingzus. ,,Kind, we hebben op dit moment wel andere zaken aan ons hoofd."

Het belooft beter weer te worden en de meisjes rijden op hun dooie akkertje naar de manege om de paarden terug te brengen.

,,Waarom willen jullie eigenlijk een vergadering?" informeert Katja, terwijl ze Pia aanspoort iets harder door te fietsen.

,,Nou, we moeten toch zeker bespreken hoe het verder moet met Bianca. Paardrijden kan ze niet meer en het is ook niet leuk wanneer ze thuis bij de Voerendaals moet bollen pellen als wij eropuit trekken," meent Billy.

,,Mmm, daar zit iets in, we leggen het meteen even voor aan tante Rietje en oom Jan," zegt Lucy. En dat doet ze inderdaad als ze nog met de fiets aan de hand op het terrein aankomen. ,,Oom Jan, we moeten even iets met u bepraten, het gaat over Bianca," valt Lucy meteen maar met de deur in huis. ,,Bianca wordt morgen door u opgehaald, is het niet?"

Oom Jan knikt. ,,Nou, ze kan voorlopig niet meer meedoen als wij uit rijden gaan en dat is eigenlijk wel sneu. Ze wil ook niet meteen naar huis, dat is ook te begrijpen."

,,Als ze nu eens iets anders te doen heeft," stelt Billy voor.

,,Och, te doen is er hier genoeg op het bedrijf," zegt Jan Voerendaal op droge toon.

Tante Rietje werpt haar man een verontwaardigde blik toe. ,,Dat bedoelen de meisjes toch niet, Jan. Vertel maar verder, hoor," zegt ze tegen de vriendinnen.

,,Kijk, de manegehouder heeft twee paarden die bijzonder schuw zijn, nu heeft Bianca er een handje van om erg goed met paarden op te trekken, vooral als ze een speciale training nodig hebben. Als die paarden nu eens een poosje hier mogen komen lopen..." zegt Lucy voorzichtig.

,,Hoe stellen jullie je dat voor? Ik heb een bollenbedrijf, geen paarden-farm!" zegt oom Jan verbaasd.

,,U heeft nog gaas en paaltjes staan. Als u nu een omheining wilt maken, dan kan Bianca vanuit een stoel de paarden gaan trainen," zegt Lucy.

,,Mmm, ik denk dat jullie alles allang overdacht hebben," zegt oom Jan, maar hij geeft zijn toestemming.

Klaas en Wim vinden het een mannenklus en beginnen al meteen met het opzetten van de omheining.

Oom Jan glimlacht. Hij kan de meisjes nu helemaal niet weigeren. Ze proberen alles om Bianca ook nog een fijne vakantie te geven. Dat is een teken van bijzondere vriendschap!

,,Willen jullie proberen alles voor elkaar te maken, voordat Bianca morgen door oom Jan wordt opgehaald?'' fleemt Lucy bij haar neven. Die trekken haar plagend aan het haar en beloven plechtig dat ze hun best zullen doen, tenslotte is het geen ingrijpende zaak; voor een paar paaltjes draaien zij hun hand niet om.

,,Kunnen we vanavond weer een kampvuur houden?'' vraagt Katja Stein aan de anderen.

Die hebben daar niets op tegen. De meisjes sjouwen met het hout en maken een fraaie stapel.

,,We moeten het toch vieren, dat Bianca er gelukkig goed van af is gekomen,'' zegt Marise van Wamelen.

Liesbeth de Bruin, met het pittige gezichtje dat met sproeten is bedekt, lacht: ,,Ik had nooit gedacht dat er een paard bestond dat Bianca uit het zadel zou werpen.''

Billy knikt. ,,Onder normale omstandigheden was het Robber ook niet gelukt, maar nu... bij zulk noodweer weet je toch dat paarden erg bang worden. Het dier is in paniek geraakt, maar hij is tenminste regelrecht naar zijn stal teruggelopen om te waarschuwen.'' Billy neemt het voor het paard op.

,,Nou ja, het is me eerlijk gezegd toch wat van Bianca tegengevallen."

Billy schudt haar hoofd. ,,Dat is jullie fout, Bianca is net zoals wij zelf zijn, ze heeft alleen wat meer talent om met dieren om te gaan en nu verwachten jullie dat haar alles lukt. Nou, je ziet het, zij moet een dom idee ook met een gewonde enkel betalen."

Het is even stil binnen de groep.

Dan knikt Pia Donkers. ,,Billy heeft gelijk, wij verwachten altijd dat Bianca een oplossing weet als er problemen zijn. Altijd moet zij maar iets bedenken, eigenlijk overdreven, we hebben toch zelf ook wel fantasie."

Dat is een lange speech voor Pia, maar als ze met een kleur stopt, knikken de vriendinnen.

Daar komt de manegehouder," roept Lennie de Haan. Ze rent de man tegemoet. Hij heeft twee paarden aan de lijn die niet zo willig zijn.

,,Zo, ik kom jullie de zorgenkinderen brengen, ze willen niet worden aangehaald en zijn daarom onmogelijk te berijden en als jullie Bianca het niet lukt dan... moet ik ze wegdoen."

,,Bianca lukt het wel," zegt Nel vol vertrouwen. Ze proest het uit als ze naar de anderen kijkt. Nu doet ze het zelf ook weer. Bianca kan alles, Bianca is een bijzonder kind. Maar als het op paarden aankomt, is het bijna zeker dat Bianca het redt.

,,De speelwei is al klaar,'' wijst Rietje Voerendaal, terwijl ze met een blad met kommen soep naar buiten komt. ,,Ik heb vlees aan pennen geregen, die kunnen vanavond boven het vuur worden geroosterd.''

,,Zullen Lucy en ik er een lekkere saus bij maken, tante?''

Tante Rietje knikt. ,,Als jullie de keuken maar niet tot een puinhoop maken,'' waarschuwt ze de tweeling nog. Maar die horen het niet meer, ze zijn al in de richting van de keuken verdwenen.

De rest van de meisjes staat bij de paarden. Het zijn inderdaad prachtige dieren, maar als iemand voorzichtig een hand uitsteekt, gaan de oren al plat en staan ze meteen op de achterbenen.

Oom Jan heeft het hekwerk keurig voor elkaar en zo kunnen de schichtige dieren binnen de omheining lopen.

,,Ik kom iedere dag wat voer brengen,'' belooft de manegehouder. ,,Ik ben blij dat ik die twee een tijdje aan de zorgen van jullie kan overlaten, je kunt ze niet eeuwig in hun box laten staan en in de buitenbak worden ze door alle drukte die hier heerst door het komen en gaan van klanten nog schichtiger," legt hij uit.

Ja, dat is oom Jan en de anderen wel duidelijk.

,,Hoe heten ze?" vraagt Mary Kruisen. Ze heeft een beetje met de paarden te doen.

,,Die donkere met die witte bles heet Mira en de lichtbruine hengst is Zorro," legt de eigenaar van de manege uit.

,,Wat zal Bianca straks opkijken," zegt Lucy blij. Ja, dat denken de anderen ook.

,,Het is maar goed dat Bianca alleen naar Mira en Zorro moet kijken en met ze moet praten, want die enkel moet tenslotte rusten," zegt Billy. ,,Het zal toch al niet eenvoudig zijn om Bianca op een stoel te houden." De anderen lachen.

,,Toch zal dat wel moeten," meent Marise.

,,Kom, help me maar even in de keuken, ik denk dat oom Jan zo terug zal zijn met onze patiënte."

De tieners hebben er geen bezwaar tegen.

Tante Rietje heeft gelijk. Binnen het uur draait het busje van oom Jan het terrein van de Voerendaals op.

Bianca wordt door hem uit de wagen getild. ,,Kom, jongedame, ik zal je even in je ruststoel tillen," zegt hij plagend.

Bianca trekt een verbaasd bezicht. Ze is alweer een beetje opgeknapt, maar het idee om te moeten blijven zitten tijdens je vakantie trekt haar absoluut niet aan. Maar ja, dit grapje heeft ze helemaal aan zichzelf te wijten. Wat staan haar vriendinnen te lachen, wat hebben ze?

Oom Jan draagt haar naar een makkelijke stoel die bij een soort omheining staat en zet haar neer.

,,Zijn jullie bang dat ik ga lopen?" vraagt Bianca lachend. Dan ontdekt ze de paarden.

,,Nee, hoor, Bianc, we hebben onze hoofden bij elkaar gestoken, je kunt nu niet meer mee met onze tochtjes, daarom hebben we iets bedacht wat jou kan bezighouden en wat je een beetje afleidt," zegt Billy.

Bianca gaat verzitten. ,,Mensenkinderen, ik lijk wel tachtig wat ben ik moe," bekent ze eerlijk. ,,Van wie zijn die paarden en waarom blijven ze zo schichtig staan?"

De meisjes vertellen Bianca van wie de paarden zijn en wat er van Bianca wordt verwacht.

Bianca schieten ineens de tranen in haar ogen. Ze had zoiets niet verwacht. Eigenlijk had ze gedacht dat ze direct naar Drenthe moest vertrekken om thuis beter te worden. Tenslotte bederft haar onbezonnenheid een beetje de vakantie van haar clubgenoten. Maar dat ze zoiets hebben geregeld... Het is toch wel een machtig stel. Daar kun je trots op zijn.

Ze leggen Bianca uit wie Mira en wie Zorro is en zullen haar even alleen laten, zodat ze kan bekomen van alle emoties.

,,We eten straks buiten en daarna is er kampvuur, want daar is gisteravond niets van gekomen,'' zegt Lucy, terwijl haar gezichtje straalt. Ze is zo blij dat Bianca weer heelhuids thuis is.

Bianca knikt en sluit haar ogen even, omdat er hinderlijke tranen in prikken. Ze voelt zich toch nog wel een beetje zwak.

De tieners zijn inmiddels al vertrokken naar de bollenschuur om oom Jan te helpen.

Vanavond zullen zij voor het kampvuur nog even een tochtje maken. Tante Rietje heeft daar eigenlijk op gestaan toen ze bezwaar maakten, omdat Bianca dan alleen zou zijn.

,,Niets ervan,'' zei ze, ,,het is ook jullie vakantie en Bianca kan zich dan in de tussentijd met Mira en Zorro bezighouden.''

En zo gebeurt het. Als de meisjes vertrekken, blijft Bianca alleen achter. Ze moet even zuchten. Wat was ze graag meegegaan, maar een stemmetje diep in haar hart zegt: eigen schuld, Bianca Vermeulen. Ze kijkt naar de twee paarden die met grote, nieuwsgierige ogen Bianca opnemen.

Het donkere paardje met de prachtige, witte bles doet twee stappen in de richting van Bianca als ze roept: ,,Mira... kom dan eens, meisje.'' Naast Bianca's stoel staat een bak met stukjes appel en wortel. Lekkernijen waar ieder paard van watertandt.

Mira laat zich echter niet verleiden.

,,Kom jij dan bij me, Zorro? Je bent zo'n verstandig paard,'' praat ze tegen de lichtbruine hengst, die Bianca met zijn fluwelen ogen aankijkt. Hij ziet de lekkernijen wel, maar wil zich toch niet te dicht bij mensenhanden wagen, al klinkt die stem nog zo vriendelijk.

Bianca zit even wat te dommelen. Wat gek dat zo'n pijnlijke enkel je zo moe maakt, denkt ze bij zichzelf.

Tussen haar oogleden door ziet ze de paardjes. Het zijn net stoute kinderen. Nu ze zien dat het mensenkind niets meer zegt en ze niet roept, wagen ze zich dichterbij. Het is net alsof ze denken dat het te gek is dat er een bak met lekkernijen voor ze klaarstaat en ze er niets van krijgen.

Mira is de slimste. Ze loopt op haar ranke benen, de oren gespannen, naar de bak. Ze houdt Bianca goed in de gaten.

Bianca doet alle moeite om zo stil mogelijk te blijven liggen. Moet je ze zien. Als volmaakte inbrekers sluipen ze naar de bak.

Mira heeft als eerste een stuk appel te pakken en met een klein sprongetje gaat ze snel weer achteruit. Bianca doet haar ogen open.

Zorro schrikt daarvan, maar omdat Bianca blijft liggen, meent hij dat hij ook wel een stuk appel kan pakken. De paarden maken aanstalten om weer uit de nabijheid te verdwijnen, maar Mira heeft de smaak van de appel toch te pakken.

Bianca praat tegen de merrie. ,,Mira, kom dan een stukje halen... Kom dan, m'n paardje." Ze pakt een stuk appel en houdt het omhoog.

Mira aarzelt en kijkt naar Zorro die ook ietwat besluiteloos is. Zullen ze het doen?

Bianca voelt zich stijf, het is moeilijk om zo stil te blijven liggen. Ze wil net het stuk appel terugleggen in de bak als Mira heel moedig over de afrastering met haar hoofd naar voren komt en vliegensvlug het stukje appel uit de hand van Bianca grist. Ze schrikt van haar eigen moed en stuift weg.

Bianca houdt een lachbui in. Wat een gek gezicht is dat.

Zorro kan nu niet achterblijven. Hij wil ook wel een stukje hebben. Hij zet zijn hoeven zeer behoedzaam neer en blijft Bianca in de gaten houden.

,,Kom maar, Zorro, ik heb een heerlijk stukje appel"

Het paard pakt warempel heel snel het stukje appel uit de hand van Bianca.

Tante Rietje, die net de keuken komt uitlopen, ziet het laatste huzarenstukje.

,,Bianca, het lukt je, lieve kind, je hebt het voor elkaar!"

Bianca kleurt. Zorro en Mira hebben zich wel weer bij de omheining teruggetrokken, maar ze blijven naar haar kijken. Zij heeft immers de traktaties.

's Avonds zit de hele groep bij elkaar. Jan Voerendaal heeft Bianca's stoel bij het kampvuur gezet en tante Rietje vertelt over de prestatie die Bianca die middag heeft verricht.

Bianca kijkt de kring rond.

Het kampvuur werpt roodgouden tinten op de tienergezichten. Lucy speelt op haar gitaar. Het is echt vakantie.

Mira en Zorro staan in de wei en kijken naar de

meisjes. Bianca zucht diep. Het is gelukkig allemaal goed afgelopen en de vakantie is nog niet ten
einde.

HOOFDSTUK 8

Toch nog een strandtocht!

De dagen vliegen voorbij voor onze paardrijdsters. Bianca heeft de twee paarden zover gekregen dat ze zich laten aanhalen. Dat is al een behoorlijke prestatie, vooral omdat Bianca alles vanuit haar stoel doet. Ze heeft het alleen met veel geduld voor elkaar gekregen en dat is niet niks. De andere vriendinnen zijn veel onderweg. Ze willen zoveel mogelijk paardrijden. Dat stemt Bianca af en toe wat droevig, vooral omdat zij altijd nummer één is bij de avonturen.

Oom Jan en tante Rietje hebben toch even naar Drenthe gebeld om te melden dat Bianca een klein ongelukje heeft gekregen. Anders schrikken ze straks bij de thuiskomst van de vriendinnen zo erg.

Als Bianca de volgende dag door oom Jan naar de telefoon wordt gedragen, kan zij ook even naar huis bellen.

,,Zullen we je maar eerder komen halen, Bianca? Je kunt het die mensen met een bedrijf eigenlijk niet aandoen dat ze ook nog de verzorging van jou op zich moeten nemen," zegt moeder Vermeulen praktisch. ,,Laten we maar afspreken, dat pap je morgenochtend komt halen."

Bianca krijgt geen kans meer om tegen te spreken. Moeder Vermeulen heeft de beslissing genomen en daar is niets tegenin te brengen. Bianca is opvallend stil als ze weer binnen de omheining bij de paarden zit. Ze heeft de laatste twee dagen wat kopij geschreven voor het clubblad *Paardenliefde* en nu was ze net bezig een verhaal te schrijven over haar angstige avontuur.

Lucy, Brigitta en Billy komen uit de bollenschuur en zoeken Bianca op.

,,Hé, wat zit jij zielig te kijken?" zegt Brigitta.

Maar Billy heeft net van oom Jan gehoord dat Bianca morgenochtend wordt opgehaald, dus zij begrijpt zo'n beetje wat er in haar vriendin omgaat.

,,Ik word toch naar huis gehaald, en dit is de allereerste keer dat ik zonder de club van zes naar huis vertrek," zegt Bianca teleurgesteld.

De clubleden, die inmiddels allemaal bij Bianca zitten, kijken elkaar aan. Zullen ze aanbieden ook maar te vertrekken?

Billy schudt van nee. Nee, dit keer moet het maar zo. Ze hebben tenslotte beloofd nog wat te helpen met de bollen. Ze hebben namelijk best plezier in het bollen pellen en ze verdienen zo ook nog een leuk zakcentje. Verder willen ze toch ook wel van hun vakantie genieten, zij het dan, helaas, zonder Bianca.

,,Kon ik nog maar één tochtje langs de zee maken,'' horen de tieners Bianca verzuchten.

,,Jij met je zee, zeker weer de politie achter je aan krijgen,'' zegt Marise, terwijl ze het blonde haar naar achteren schudt.

,,Je kunt trouwens niet paardrijden met je pijnlijke enkel,'' vult Billy aan. Maar dan ziet ze de schittering in de ogen van Bianca en zucht. Dat van dat ,,niet kunnen'' had ze maar beter voor zich kunnen houden.

Tante Rietje komt met wat frisdrank en ziet dat de hele groep om Bianca heen zit.

,,Gaan jullie vanmiddag nog een ritje maken?'' informeert Bianca.

De clubleden kijken elkaar aan.

,,Ja, dat is wel de bedoeling,'' zegt Nel Vermeulen met een lichte aarzeling in haar stem.

,,Maar, Bianc, je kunt niet mee, want je kunt toch niet rijden met zo'n enkel,'' zegt Marise op rustige toon. ,,Ga jij maar bollen pellen.''

Tante Rietje kijkt de kring rond. ,,Ik kan je wel naar het duinpad brengen als de anderen de paarden ophalen, maar of het wel zo verstandig is...'' aarzelt ze. ,,Je hebt, dacht ik, genoeg narigheid gehad. Wat vind je van het volgende voorstel. Zet dat rijden nu maar uit je hoofd, ik pak een picknick-mand in met lekkers en breng je vooruit naar het strand. De rest gaat op de fiets, het is zulk prachtig weer, jullie kunnen zwemmen en Bianca kan wat zonnen.''

,,Prima voorstel, tante Rietje,'' lacht haar nichtje.

,,Goed, halen jullie Bianca dan maar af bij het strandpaviljoen, ik ga meteen weer terug, want er is genoeg te doen.''

Bianca kleurt. Het is wel vervelend dat ze deze lieve mensen zoveel extra werk heeft bezorgd.

De vriendinnen rijden vooruit en tante Rietje gaat naar de keuken om het eten in te pakken. Ze heeft dan tenminste vanmiddag haar handen vrij.

Bianca wordt even later in de auto getild door oom Jan. ,,Mensenkinderen, wat ben jij een zware vracht,'' zucht hij, maar Bianca kan aan zijn gezicht zien dat hij er niets van meent. Tante Rietje levert haar bij het strandpaviljoen af. Daar blijft ze wachten met de rijk gevulde picknick-mand, totdat de anderen komen.

Daar arriveren de meisjes met verhitte hoofden. Het is immers een hele trap, vooral als je een vriendin achterop moet meenemen.

,,Nou zeg, jij bent toch een bofferd,'' lacht Billy, terwijl ze de picknick-mand overneemt.

Bianca trekt haar werkbrauwen op. ,,Hoezo, een bofferd? Ik kan niet rijden en nu zelfs niet zwemmen, omdat mijn enkel niet nat mag worden.''

,,Gewoon, omdat het veel te warm is om te fietsen, bedoel ik,'' zegt Billy, terwijl ze Bianca aan één kant ondersteunt.

,,Ik weet een mooi plekje,'' zegt Lucy.

,,Loop dan maar voor ons uit,'' lacht Mary Kruisen. Wat ziet die er gezond uit. Haar anders zo in-witte gezicht is bruin door de zon. Trouwens, je kunt aan al de clubleden zien dat ze erg veel zon gezien hebben. Lucy wijst naar een stukje strand dat pal naast het paviljoen, ligt. Helaas zijn er meer mensen die dat plekje hebben gevonden. Ze besluiten maar gewoon in het zand te gaan liggen.

Bianca laat zich voorzichtig zakken, ze ziet wit om haar neus van de inspanning. ,,Zo'n snert en-

114

kel," moppert ze.

Ja, dat geloven haar vriendinnen graag.

De handdoeken worden verder uitgelegd en de hele groep ligt even later in het zonnetje te bakken.

Bianca tuurt naar de zee. Wat jammer, dat het hier zo druk is, je kunt bijna niets van het water zien. Overal krioelen mensen door elkaar.

,,Wie gaat er mee zwemmen?" roept Marise.

Een voor een verdwijnen de vriendinnen in het water, terwijl Bianca doezelend in de zon met de picknick-mand achterblijft. Ze draait zich op haar buik. Zo kan tenminste haar rug ook wat bijkleuren. Bianca zucht. Ze voelt zich een beetje verlaten. Eigenlijk is dat niet eerlijk. Ze heeft zelf schuld aan deze affaire en de meisjes hebben allang genoeg rekening met haar gehouden. Bianca roept zichzelf tot de orde. Straks gaan zij de paarden ophalen, denkt ze dan weer en blijft ze opnieuw achter. Alhoewel... ze hebben niet gezegd dat ze gaan rijden.

Al die dingen flitsen door het hoofd van Bianca als ze zich weer omdraait en in de lachende ogen van de jongste agent van de achtervolging kijkt. Bianca kleurt.

,,Dan heb ik het toch goed gezien, onze aanvoerster van de achtervolging. Hoe kom jij aan een verbonden enkel, ben je toch nog van een paardje gerold?" vraagt hij vriendelijk.

Bianca weet niet waar ze kijken moet. ,,Het was tijdens het onweer," zegt ze met een hoofd als een boei. ,,Mijn manegepaard Robber was doodsbang en ik werd afgeworpen."

De politieman gaat naast Bianca zitten. ,,Nu is je vakantie zeker goed in het honderd gelopen?" zegt hij.

Bianca knikt. ,,Ik had zo dolgraag 's avonds een tocht langs het water gemaakt, maar nu word ik morgen door mijn vader opgehaald," zegt ze zacht.

Jan, de politieman, knikt. ,,Mmm, ik heb een idee, 's winters rijd ik met een soort strandwagen over het strand, als ik jou nu eens vanavond op- haal, zodat we toch nog een strandtochtje kunnen maken...'

Bianca's ogen stralen. ,,Is het een grote wagen?"

Agent Jan knikt.

,,Mogen mijn vriendinnen dan ook mee?"

,,Als die op eigen gelegenheid naar het strand kunnen komen, vind ik dat prima. Ik heb namelijk zelf maar een piepklein autootje."

Bianca is dolgelukkig.

,,Laten we zeggen, tegen zeven uur ben ik bij de familie... Voerendaal, is het niet?"

Bianca kleurt weer. En zij maar denken dat de politie haar niet had kunnen opsporen.

,,Fijn, dank u wel," zegt ze blij.

Als agent Jan uit het oog verdwenen is, komen de andere tieners bijzonder snel het water uit.

,,Wat wilde die agent, Bianca, heeft hij je herkend?" Marise kijkt geschrokken.

,,Nou, dat kan er ook nog wel bij, Bianca Vermeulen, je hebt zeker een fikse boete aan je broek gekregen?" vraagt Billy.

Bianca schudt stralend haar hoofd. ,,Niks, hoor, ik heb wel een verrassing, wij gaan vanavond met zijn allen een strandtochtje maken... met agent Jan..."

Nou, die verrassing is volledig gelukt. Bianca geniet van haar overwinning. Ze vertelt wat er met agent Jan is afgesproken.

,,Hoera, Bianca Vermeulen, ik blijf erbij dat het geluk jou toch altijd weer opzoekt," grinnikt Billy. ,,Kunnen we wel allemaal in die kar?"

Bianca knikt. ,,Het schijnt een grote, platte kar te zijn, dus we kunnen er allemaal in. Jullie moeten op de fiets en ik word opgehaald om zeven uur." Dat wordt toch nog een fijne afsluiting van een wat triest verlopen vakantie.

De meisjes genieten die middag nog wat van de zon en tegen vijf uur zien ze tante Rietje bij het strandpaviljoen verschijnen.

,,Bianca, ik kom je ophalen, komen jullie ook naar huis? Ik wil een beetje vroeg eten, want we krijgen vanavond visite," zegt ze tegen de logées.

Onderweg staat de mond van Bianca geen moment stil.

Tante Rietje moet lachen, omdat Bianca helemaal opgewonden is bij het idee dat ze vanavond met de agent van hun achtervolgingsavontuur een tochtje langs het strand mogen maken. ,,Dan is dat toch nog een leuk uitstapje," zegt ze hartelijk.

Bianca knikt. Ondertussen moet ze er weer aan denken dat ze morgenochtend door haar vader wordt opgehaald, terwijl de clubleden achterblijven. ,,O ja, straks worden Mira en Zorro opgehaald door de manegehouder," vertelt ze aan de andere tieners.

Op het terrein blijkt dat de manegehouder er al is. Hij begroet de tieners hartelijk. ,,Wat een prestatie lever jij met paarden in zo'n korte tijd," zegt hij tegen Bianca Vermeulen. ,,Ze zijn warempel al niet zo schichtig meer. Hoe heb je dat voor elkaar gekregen?''

Daar kan Bianca eigenlijk geen antwoord op geven. Met veel liefde en geduld, zo gaat dat immers met paarden? Jammer, dat ik nu weer afscheid van de paarden moet nemen, denkt Bianca. Ze aait de beide paarden over de neus en fluistert ze in het oor: ,,Gehoorzaam zijn en ik zal jullie echt niet vergeten.''

Mira en Zorro hinniken zacht. Zij zullen Bianca Vermeulen ook nooit vergeten, immers, zo iemand als Bianca vergeet zelfs een paard niet!

De manegehouder laadt de paarden in zijn trailer en neemt afscheid van de tieners en vooral van Bianca. ,,Ik zie je niet meer, voordat je naar huis gaat, neem ik aan, dus succes met je pootje en als je weer komt, staat Robber op je te wachten,'' zegt hij hartelijk.

,,Hé, hebben jullie jeukpoeder in de spijkerbroeken?'' informeert oom Jan even later, omdat alle tieners zo aan de eettafel zitten te schuifelen. Het is maar onzin, hij weet best dat ze gespannen zijn, omdat ze een avondtocht gaan maken met agent Jan. Trouwens, oom Jan vindt het een origineel idee van de agent, vooral omdat de tieners de gevestigde orde goed in de maling hebben genomen.

„Het is halfzeven, mogen wij vast vertrekken, tante?" Lucy kijkt op haar klokje.

„Nou, zeg, en mij met al die afwas laten zitten, dat zou je wel willen, jongedame," lacht tante. „Nee, hoor, ik plaag je maar, gaan jullie maar gauw, maar deze week wordt er wel weer hard aangepakt!"

Dat willen de meisjes best beloven als ze nu maar weg mogen. Voor de zekerheid worden de banden nog wat opgepompt en weg spurten ze.

Bianca blijft achter. Ze moet toch wachten tot de agent haar komt ophalen en dan kan ze tijdens het wachten best een handje helpen.

Tante Rietje kijkt naar het gespannen gezichtje. Ze is erg op dit eigenzinnige meisje gesteld geraakt en bekent zichzelf dat ze haar levendige conversatie best zal missen.

Ineens wordt er hard geclaxonneerd.

„Dat móet wel voor jou zijn, Bianca," lacht oom Jan.

Agent Jan heeft niets te veel gezegd, hij heeft inderdaad een piepklein autootje. Hij is nu in een spijkerbroek met schipperstrui gestoken. „Ik heb vanavond vrij," zegt hij lachend tegen Bianca die in hem zonder uniform niet de agent herkent. „Zullen we dan maar?"

Bianca knikt. Oom Jan helpt haar in de auto en weg rijden ze.

,,Wat heerlijk, dat ze toch nog haar zin krijgt," zegt tante Rietje vertederd.

,,Ik geloof dat Bianca Vermeulen heel vaak haar zin krijgt," lacht oom Jan. ,,Ze is duidelijk niet voor één gat te vangen, dat kun je aan alles merken."

,,Waar staan de anderen?" informeert agent Jan intussen.

,,Bij het strandpaviljoen," zegt Bianca.

,,Prima, dan parkeer ik daar de auto en mijn collega wacht daar met Louis, mijn Belg, en de kar."

,,Louis, een Belg?" Bianca begrijpt het niet helemaal.

,,Hé, ik dacht dat jij alles van paarden afwist?" plaagt agent Jan. ,,Een Belg is een zwaar werkpaard, het ras heet zo."

O nu is het Bianca wat duidelijker. Het kon niet beter. Zo'n mooi paard en zo'n mooie avondtocht. Bianca heeft binnenpret.

,,Louis is gewend behoorlijk zware vrachtjes te vervoeren dus met een lading jongedames zal hij het beslist niet moeilijk hebben," lacht agent Jan. Hij draait de kleine auto op het parkeerterrein en

121

helpt Bianca eruit. ,,Jij hebt veel te lange benen voor mijn karretje,'' lacht hij.

Maar Bianca kant het niet schelen, als ze maar langs het strand kan rijden, al moet ze haar benen in haar nek vouwen.

De meisjes zijn er al. Je hoort hun lacherige stemmen al van verre.

Agent Jan ondersteunt Bianca, terwijl ze het pad aflopen tot het strand. ,,Daar staat de kar,'' wijst hij.

Wat een prachtig paard staat er voor de kar, hij is donkergrijs en heeft dikke vetlokken aan de zware, gespierde benen.

,,Dag, Louis, ben je daar, mijn vriend,'' praat agent Jan tegen het dier. ,,Dit is agent Rob, meisjes,'' stelt Jan zijn kameraad voor.

Bianca moet lachen. Ze ziet in gedachten hun achtervolging weer en nu zijn ze warempel de beste maatjes met deze agenten.

,,Stappen jullie maar op,'' zegt Rob. Hij helpt de meisjes om een plaatsje te vinden op de platte wagen waar een laag stro op is gelegd.

,,Ik kan tenminste zingen: *ik heb mijn wagen… volgeladen… vol met jonge meisjes*,'' plaagt Jan. Hij neemt samen met Rob plaats op de bok en dan zet Louis, de Belg, zich langzaam in beweging.

Het is al stil op het strand. De toeristen zijn vertrokken en de opruimdienst heeft de rommel die de mensen zoal achterlaten ook al weggehaald.

Bianca haalt diep adem. Het ruikt gewoon anders aan het water. Je proeft het zout van de zee en dat dringt diep in je longen door als je ademhaalt. Het moet wel een gezonde lucht zijn aan het strand. Bianca is opvallend rustig. Ze kijkt naar de lichtplekken op het water. Een meeuw zoekt schreeuwend zijn heil in het duin en verder hoor je alleen de klossende voeten van het Belgische paard Louis.

,,Het is niet zo leuk als een paar agenten onnodig werk bezorgen, maar zo'n tochtje is toch ook niet te versmaden," plaagt agent Jan.

Bianca kleurt. Gelukkig kan de agent dat niet zien, want de duisternis valt snel in. Het is een prachtige avond en langzaam verschijnen de sterren aan de hemel.

Agent Jan laat zijn Louis even stoppen en steekt een ouderwetse lantaarn aan. Nu is het nog romantischer vinden onze paardrijdsters.

Louis trekt de kar moeiteloos, terwijl de meisjes zachtjes praten. Dat gaat ongemerkt. De stemming op het strand maakt dat je je stem niet verheft.

,,Morgen ben ik weer op de Saksische boerderij en jullie blijven hier,'' zegt Bianca ineens. Haar vriendinnen knikken.

,,Misschien is Donja al aan de longe,'' zegt Billy, die graag iets positiefs aan Bianca wil meegeven. Bianca knikt.

,,We zullen je de kopij van ons clubblad opsturen, misschien kun jij nog een stukje over deze tocht schrijven,'' zegt Lucy.

Bianca knikt. Dit is een vreemde vakantie geweest, overpeinst ze. Maar toch heeft ze er veel van geleerd.

Agent Jan stuurt Louis naar het gedeelte waar het natte zand ligt. Daar loopt het zware dier het makkelijkst. Hij werpt klonten zand op met zijn machtige hoeven. Wat een kolos van een paard!

De wereld ziet er verstild uit. Dit is een moment dat je bijblijft. Zo denkt Bianca er tenminste over. Het paard loopt en loopt. Ze komen geen mens meer tegen. Het strand behoort aan hen.

Even blijft Louis staan en agent Jan stapt af om een boei te pakken die is aangespoeld. ,,De zee brengt vaak de vreemdste dingen aan land en als ik rustig wil nadenken dan ga ik naar het strand,'' zegt agent Jan.

Dat kunnen de vriendinnen best begrijpen. De

natuur is de plaats waar je kunt bijkomen.

Rob kijkt bij het licht van de lantaarn op zijn klokje. ,,Jan, we moeten terug,'' zegt hij tegen zijn collega.

Jan knikt en draait het paard. Langzaam loopt Louis met zijn vracht langs de vloedlijn terug. De meisjes hebben genoten. En Bianca? Bianca heeft toch haar afscheid van de zee en het strand gehad. Het is heel anders dan op de rug van Robber dat moet ze toegeven, maar toch… ze is heel blij dat agent Jan dit voorstel heeft gedaan. Veel te gauw naar de zin van de vriendinnen zijn ze weer bij het paviljoen terug. Ze bedanken de beide agenten en stappen op hun fietsen. Alleen Bianca blijft achter. Agent Rob zal Louis en de kar wegbrengen en agent Jan brengt een gelukkige Bianca naar de Voerendaals terug.

HOOFDSTUK 9

Bianca heeft het druk!

Het afscheid de volgende dag valt Bianca bijzonder zwaar. Ze heeft er gewoon niet van geslapen. Al haar clubgenoten en andere vriendinnen blijven nog een week en zij wordt als een klein kind door vader Vermeulen opgehaald. Heel vroeg, want hij heeft zijn veeartsdienst moeten ruilen met een collega en daarom moet hij vanavond weer op tijd thuis zijn.

Vader Vermeulen zucht als hij naar de voet van Bianca kijkt. ,,Dit keer heb je wel iets heel bijzonders uitgehaald,'' constateert hij op droge toon.

Bianca kan niets anders doen dan flauwtjes lachen, maar dat gaat niet van harte. Ze hoort hoe de anderen al plannen maken om wat te gaan rijden. Ze hebben een speciaal tarief gekregen van de manegehouder, ze huren de paarden zo vaak!

Van Mira en Zorro heeft Bianca een bosje bloemen gekregen dat zit samengebonden op een hoefijzer. Er zitten zelfs twee foto's bij van de beide paarden.

Bianca snuft. Ze neemt afscheid van haar club van zes die voor het eerst een club van vijf is; de Hoornse ruiters krijgen ook een zoen. Marise belooft te schrijven en Lucy, Brigitta, Lennie, Cora en Liesbeth beloven ook een kaart te sturen.

Tante Rietje en oom Jan worden voor hun goede zorgen bedankt en dan vertrekt ze.

Bianca zit stil op de achterbank. Ze kan met haar voet zo wat rusten.

,,Het komt goed uit dat je naar huis komt, dan kun je mij assisteren,'' zegt vader Vermeulen, terwijl hij in de spiegel het stugge gezichtje van zijn dochter bekijkt.

Bianca reageert niet.

,,Donja wordt zo'n handige duvel, oom Koos heeft wel moeite met haar. Ze luistert niet best. En Bontje, o dat weet je ook nog niet... Bontje heeft het vorige week echt te bont gemaakt bij je moeder. Hij was met dat slechte weer naar buiten gegaan, is daarna in de stal in het stro gaan rollen en is toen weer binnengekomen.''

Bianca schiet in de lach. Haar vader kan het zo mooi vertellen.

,,Toen het arme beest binnenkwam, bracht hij in zijn vacht heel wat modder, zand en stro mee en ging zomaar in mijn stoel liggen. Je kent je moeder, Bianca, maar wat ze toen zei, wil ik niet graag herhalen.''

Bianca schatert het uit. Haar moeder past altijd op haar woorden en als vader zegt dat ze woorden gebruikt die niet na te vertellen zijn, moet het wel ernst zijn. Ineens heeft ze gewoon zin om naar huis te gaan. Wat geeft het, dat de anderen achterblijven. Zij is nu eenmaal een blok aan hun been door haar enkel. Thuis wachten Marieke, Donja en Pride op haar. ,,Vader, hoe is het met Pride?'' vraagt ze aan veearts Vermeulen.

,,Nou, Bianc, het heeft wel lang geduurd, voordat je het vroeg. Pride ziet er prachtig uit, dank zij je moeder, ze heeft hem iedere dag ingesmeerd en de littekens zijn inmiddels verdwenen. Het begint een mooi paard te worden. Jammer, dat hij zich zo slecht laat benaderen.''

Bianca begint over Mira en Zorro te vertellen.

Vader Vermeulen luistert geamuseerd. Bianca is op haar best als ze over paarden kan vertellen. ,,Misschien kun je die techniek ook op Pride toepassen, want dan heb je weer een eigen rijdier. Donja heeft nog wel een aantal maandjes nodig voordat ze zover is,'' zegt vader verder op ernstige toon. ,,Je mag bij een jong paard de tijd van het rijden nooit forceren."

Bianca knikt. Dat weet ze zelf ook. Mmm, Pride als rijdier, dat trekt haar wel.

Ze verlaten de snelweg en zoeken een secondaire weg op, zodat ze op hun gemak naar hun woonplaats kunnen terugrijden. Vader Vermeulen heeft een hekel aan het gejakker over de snelweg. Hij is, evenals Bianca, een natuurmens. ,,Kom, dochter, wat denk je van een pauze? Je moeder heeft me koude pannekoeken meegegeven en echte bosbessesap."

Bianca knikt. ,,Klinkt goed, pap, ik heb wel zin in iets."

Veearts Vermeulen parkeert de auto keurig op de plaats waar een P-aanduiding staat en pakt de rieten mand. Vader tilt haar uit de auto en zegt: ,,Zoek jij maar een plekje uit."

,,Maar wel zonder mieren zeker," lacht Bianca ineens. Ze vertelt het verhaal dat Pia midden in een mierenkolonie is gaan zitten.

,,Dus je hebt het toch wel naar je zin gehad in de vakantie?" zegt vader.

Bianca knikt. ,,Toch wel, het was een onnodig ongeluk, maar ik ben er gelukkig goed afgekomen." Bianca is eerlijk. Ze hapt in een dikke pannekoek en zucht diep. ,,Wat een heerlijk weer.

Gelukkig duurt het nog een paar weken, voordat ik weer naar school moet." Het laatste komt er ondeugend uit. Haar ogen stralen en als haar vader haar nog een pannekoek toeschuift, gaat ook die vlot naar binnen. ,,Zullen we dan maar weer, des te sneller zijn we thuis," zegt Bianca.

,,Het lijkt wel of je haast hebt, Bianca Vermeulen," plaagt vader.

,,Dat zal best zo zijn, het is toch fijn om weer in ons mooie Drenthe te komen," zegt Bianca zacht.

Een kwartier later rijden ze het erf van het huis op.

,,Mam, mam, dag, Bontje, daar ben ik weer." Bianca slaat haar armen om de hals van haar moeder, die warempel tranen in haar ogen heeft.

,,Jij hebt weer een mooi avontuur beleefd, gelukkig is het goed afgelopen," zegt ze. ,,Bianca, voorzichtig met je enkel."

,,Ach, mam, ik huppel maar wat op één been rond, alles gaat goed," zegt Bianca. Ze streelt de kop van haar Sint Bernard.

Moeder ondersteunt haar naar de stal. Donja is er niet.

,,Natuurlijk is ze bij oom Koos," zegt Bianca. Even kreeg ze het beeld voor ogen hoe ze vorige keer van vakantie terugkwam en Bonnie niet meer aantrof. Arme Bonnie was gestorven, zomaar, zonder Bianca. Daar heeft ze verschrikkelijk veel verdriet van gehad.

,,We kunnen Donja niet iedere keer naar oom Koos brengen, want je vader heeft het zo al druk genoeg,'' legt moeder uit. ,,Heb je Pride al gezien, hij loopt daar bij Marieke, die twee zijn al goede maatjes geworden, alleen van mensen moet Pride nog niets hebben.''

Bianca bijt op haar lip. Pride is niet alleen steviger geworden, maar zit nu mooi in het vel, de littekens zijn vrijwel verdwenen. Pride is inderdaad een mooi paard. Ze roept: ,,Pride, ik ben weer thuis, kom dan, mijn paardje.''

Pride hoort wel dat de stem bekend is, maar waagt zich niet dichterbij. Hij denkt: mensen, je kunt ze niet vertrouwen, ze voeren je, maar daarna slaan ze je weer, dat is een ding dat zeker is. Je kunt daarom maar het beste bij ze uit de buurt blijven.

,,Je moet maar zien dat je Pride temt, Bianca,'' zegt moeder Vermeulen. ,,Het is voor het dier toch ook niet goed dat het zo schichtig blijft.''

Vader Vermeulen slaat zijn arm om de hals van zijn dochter. ,,Bianca Vermeulen, je krijgt het weer druk, er is weer een paard waar je voor moet zorgen."

,,Tenminste, als je voldoende met je voet rust,"
vult moeder aan.

Bianca schudt haar hoofd. Moeders veranderen
nooit, ze blijven altijd bezorgd, hoe oud je ook
bent. ,,Geen zorg, hoor, mam, ik kijk wel uit,"
zegt ze. ,,Eigenlijk moet ik net zo te werk gaan als
met Zorro en Mira," zegt ze hardop.

Moeder Vermeulen kijkt haar man aan,

Vader schudt van nee. ,,Dat lukt niet, Bianca,
Pride is ten eerste ouder dan die paardjes en hij
heeft geen enkel vertrouwen meer in de mens, dat
is het grootste probleem, hij wil eenvoudig niet
dat je aan hem komt."

Bianca knikt. ,,Hoe krijg je het voor elkaar dat
hij wel weet dat er ook goede mensen zijn," zegt
ze op een trieste toon. ,,Door veel liefde te geven
en goed voor hem te zijn en door nooit je stem tegen hem verheffen. Het zal heel veel moeite en
veel tijd kosten, Bianca."

,,Maar eerst wordt er gegeten, dan kun je daarna Marieke en Pride weer binnen zetten en verzorgen," zegt moeder Vermeulen. ,,Kom, Bontje, kom mee met moeder."

Vader Vermeulen geeft zijn dochter een knip-
oog. Bontje heeft het hart van moeder helemaal

132

gestolen, terwijl hij eigenlijk als ongenode gast is binnengesmokkeld.

Bianca hinkelt wat moeilijk over de kleine keitjes die voor het huis liggen. Het is wel vermoeiend om zo te moeten hinkelen. Ze kijkt de boerderij rond. Het is toch wel erg gezellig om weer thuis te zijn, bedenkt ze. Moeder heeft een lievelingskostje voor Bianca klaargemaakt. Tevreden schuift ze aan de houten tafel en laat zich de maaltijd heerlijk smaken. Ze is wat moe, dat komt vast van de reis en omdat het drukkend warm is.

,,Ik heb je zolderraam wijd opengezet, dochter,'' zegt moeder Vermeulen. ,,Trouwens, ik heb nog iets op je kamer veranderd,'' zegt ze op geheimzinnige toon. ,,Nee, je wacht eerst tot we klaar zijn met eten, voordat je boven gaat kijken,'' zegt ze streng als ze merkt dat Bianca meteen naar boven wil glippen. ,,Heb je nog een gaatje over voor een portie eigengemaakt ijs?''

Bianca's gezicht straalt. Wie zegt daar nu nee tegen?

Even later hinkelt ze weer terug naar de stal. Ze snuift. Het begint alweer tijd te worden voor een schoonmaakbeurt, maar dat moet vader voorlopig maar doen.'' Marieke, kom, meisje, het is tijd voor je box," roept ze tegen het paard van Mary Kruisen.

Marieke reageert onmiddellijk op de stem van Bianca en komt meteen aanlopen. Ze laat zich eerst uitgebreid aanhalen en fleemt met haar neus tegen de mouw van Bianca's blouse. Marieke wordt voorzien van wat haver en schoon water. Bianca controleert of er voldoende schoon stro in de box ligt. Mmm, het is wel vochtig in de stal. Ze pakt een riek en haalt het bovenlaagje weg. Dan hinkelt ze naar het stro en legt een laag op de bodem. ,,Zo, Marieke, dan sta je vannacht tenminste droog," praat ze tegen het paard.

Nu komt er een moeilijker klus. Pride zal echt niet komen als je hem roept. ,,Ik zal je moeten lokken of vangen," zegt Bianca tegen zichzelf en half tegen het paard. Nu ze alles zo'n beetje op één been moet doen, is ze niet zo snel als anders. Normaal gesproken, zou Bianca haar hand zelfs niet omdraaien voor een rodeo. Ze heeft tenslotte met Reinoud ook eens zo'n situatie bij de hand gehad.

Ze zal eerst de wei maar iets kleiner maken. Het heeft geen zin om de hele wei over de draven. Ze pakt met behulp van vader twee oefenhekken voor het springen en zet die naast elkaar zodanig neer dat Pride niet zoveel ruimte over heeft om weg te lopen. Vervolgens haalt Bianca een longe lijn en hinkelt weer naar het terrein terug.

Pride heeft de oren plat liggen. Hij hinnikt onrustig en zijn ogen draaien angstig in zijn paardegezicht.

,,Stil maar, je wilt toch niet de hele nacht buiten blijven, er is onweer op komst,'' praat ze tegen de nerveuze hengst.

Pride hinnikt en gaat op zijn achterste benen staan als Bianca zich vooroverbuigt om de longe lijn aan zijn hoofdstel te bevestigen. Hij slaat zo vervaarlijk met zijn benen dat Bianca toch wat afstand neemt, hoewel ze niet zo bang voor het dier is.

,,Kom, jonkie, ik doe je toch niets.'' Ze heeft de lijn zo bevestigd. Bianca veegt een paar zweetdruppels van haar voorhoofd. ,,Poe, dat is een warm klusje,'' mompelt ze. Nu heeft ze Pride wel aan de lijn, maar daarmee staat hij nog niet in de box.

Het is net alsof het paard aanvoelt dat Bianc niet de beschikking heeft over haar beide benen. Hij bokt en slaat, en zelfs als Bianca voorzichtig een van de hindernissen opzij schuift om het paard zich niet te laten bezeren, slaat hij nog met de voorbenen.

Vader ziet hoeveel moeite Bianca heeft om Pride de baas te worden. Zal hij helpen? Hij blijft op afstand kijken. Bianca trekt Pride nu mee, terwijl het paard hevig tegenstand biedt.

,,Heb je nog hulp nodig, Bianca?'' vraagt haar vader.

Bianca schudt haar hoofd, terwijl ze verbeten haar mond dichtklemt.

Vader Vermeulen moet eigenlijk inwendig lachen. Moet je dat eigenwijze, vastberaden gezicht van Bianca zien. Zo is ze een echte Vermeulen. Ze geeft niet gauw op en Pride is dan ook degene die toch in de box belandt, al sputtert hij nog zo tegen.

Met een zucht doet Bianca de sluiting op de box. Ze pakt een emmer met schoon water en doet wat voer in de etensbak. ,,Je zult toch aan me moeten wennen of je wilt of niet,'' zegt ze tegen Pride.

Pride luistert, dat kun je aan alles merken. ,,Ja, jochie, denk er maar eens over na, we kunnen vrienden worden of niet... maar dan kun je hier niet blijven,'' zegt Bianca.

Het paard komt iets naar voren in de box alsof hij wil zien wie deze opmerking tegen hem maakt.

,,Pluis, maak jij eens dat je uit die box komt,''

zegt Bianca streng tegen de tokkende Barnevelder die een plaatsje bij Pride in de box heeft gezocht.

Pluis wringt zich tussen de spijlen van het tussenschot door en loopt kwebbelend achter Bianca aan.

,,Ja, ik weet het, er is geen slimmere kip in Drenthe dan jij,'' lacht Bianca.

,,Je hebt zo langzamerhand wel een behoorlijke veestapel, niet, dochter,'' zegt vader Vermeulen. ,,Kom, het is mooi geweest voor vandaag, morgen is er weer een dag, je bed roept.''

Bianca sluit de deur van de stal zorgvuldig en laat de achterkant van de stal los staan, zodat er wat frisse lucht kan binnenkomen, want het is benauwd in de stal.

,,Ik hoop dat het onweer vannacht eens even flink losbarst, het is zo benauwd,'' zucht vader. ,,Wel te rusten, dochter, duik er maar gauw in,'' zegt hij, nadat Bianca nog even naar de Voerendaals heeft gebeld. ,,Kijk maar eens in je kamer, je moeder is zo vlijtig voor je in de weer geweest.''

Bianca kust haar vader en hinkelt de kamer in.

,,Hoe doe je dat nu met douchen?' wil moeder weten.

,,Ik trek er gewoon een plastic zak overheen,

dan wordt het verband niet nat," zegt Bianca vindingrijk.

,,Douche dan eerst even, het is zo drukkend," zegt moeder.

Bianca hinkelt de trap op.

,,Eerst onder de douche en dan pas in je schone kamer," waarschuwt moeder. Ze loopt haar dochter achterna en helpt haar bij het ombinden van de plastic zak om de enkel.

Dan gaat Bianca onder de douche. De vuile kleding wordt in de wasmand geduwd die meteen alweer vol is. Ja, ja, Bianca is terug op de basis. Haar moeder heeft de gordijnen dichtgeschoven en haar schemerlampje aangedaan.

Bianca komt haar kamer binnen. Allereerst valt haar op dat het kamertje er zo schoon en opgeruimd uitziet en dan pas valt haar oog op de sprei. Een sprei waar allemaal paarden op staan afgebeeld en er hangen nu ook dezelfde gordijnen. Op haar stoel ligt een kussen waar ook paarden op staan. Wat ziet het er gezellig uit. Bianca bedankt haar moeder uitbundig. De tranen springen haar in de ogen. Ze kijkt naar de kleurenfoto van Reinoud die nog op dezelfde plek hangt en laat zich vermoeid, maar tevreden in haar bed glijden.

,,Ik hoop dat je door het onweer heen slaapt," zegt moeder. ,,Er komt een fikse bui aan."

Bianca geeuwt en als moeder het licht uitdoet, slaapt Bianca al bijna.

Even later klinkt het onweer bedreigend hard. Bianca schiet overeind. Ze knipt het licht aan en geeuwt. Hoe laat zou het zijn? Ze pakt haar klokje dat op het nachtkastje ligt. Halftwee. Bianca knipt het licht weer uit.

Boemmm! Een hardere slag en daarop volgt weer een lichtflits. Vervelend, zo kun je toch niet slapen. Bianca doet het licht weer aan.

Het is stil in huis. Vader en moeder Vermeulen hebben zeker geen last van het onweer.

Bianca hoort Bontje janken. Veel dieren zijn doodsbang voor onweer. Ze komt moeizaam overeind en loopt naar de gang.

,,Bontje, kom maar," roept ze zachtjes. Daar komt de grote hond de trap op. Hij gaat meteen bij Bianca op bed liggen. Het is net alsof hij bij haar bescherming zoekt.

,,Stil maar, ga maar weer slapen," zegt Bianca vriendelijk. Ze schuift onder de lakens. Het is drukkend warm in de kamer ondanks dat het raam een stukje openstaat. Bianca draait op haar zij en geeuwt opnieuw. Bontje hoort ze nu niet meer, ook niet als een bliksemflits weer de hele kamer verlicht. De hond blijft braaf op het voeteneind van Bianca's bed liggen. Bianca kan echter niet slapen. Ze luistert naar de geluiden van de natuur en wacht, totdat het onweer overgaat in een regenbui, maar dat gebeurt niet. Dan hoort ze iets. Het lijkt wel of er iemand in de buurt van de stal is. Bianca komt weer uit haar bed en tuurt naar buiten. Nee, er brandt geen licht in de stal, ze moet het zich verbeelden. Bianca blijft bij het raam staan. Ze wacht ergens op, maar waarop? Ze weet het zelf niet.

Bontje wordt nu ook wakker en komt naar Bianca toe. Zijn grote pluimstaart slaat heen en weer tegen Bianca's benen. Nu hoort Bianca het weer, hinniken, en net alsof er iets kapot is, ze hoort een deur klapperen of zo iets. Wat is dat toch? Bianca is niet bang uitgevallen. Ze trekt een broek en een trui aan. Zachtjes strompelt ze de trap af. Bontje loopt achter haar aan.

,,Ssst,'' zegt ze tegen de logge hond.

Bontje volgt zijn bazin naar buiten.

Bianca gaat de donkere stal binnen en voelt haar hart in haar keel kloppen.

,,Is er iemand,'' zegt ze met een ietwat bibberige stem. Ze zoekt met haar hand langs de muur en

140

vindt eindelijk het knopje van het licht. Ze knipt het aan en meteen volgt er een bliksemflits. Bontje begint te janken. ,,Stil nou maar,'' sust ze de grote mensenredder. Ze ziet dat Marieke rustig in haar stal staat. Maar waarom is de box van Pride open?

Bianca bijt op haar lip. Ze kijkt naar de staldeur aan de achterkant die naar het weitje gaat, die deur staat nu wijd open en… de box van Pride is leeg. Menno zou de sluiting van de box repareren, flitst door haar hoofd. Pride is weg!

HOOFDSTUK 10

Bianca Vermeulen, je bent uniek!

Bianca kijkt naar Marieke. Die staat zo rustig alsof ze niets van het slechte weer merkt. Bontje jankt achter Bianca en duwt met zijn kop tegen haar benen.

Wat nu? Waar kan Pride zijn? Zal Bianca haar ouders wakker maken? Nee, dat kan ze eigenlijk niet doen.

In de stal staan laarzen, voorzichtig trekt Bianca die aan. Ze zijn eigenlijk van Menno en zijn Bianca normaal een paar maten te groot, maar met haar verbonden enkel gaat het net. Ze kan zo niet blijven staan, ze moet Pride vinden.

Hij kan toch niet van de wei af, peinst Bianca. Maar in de wei is geen spoor van Pride te ontdekken. Zou het paard al kunnen springen?

Voorzichtig strompelt Bianca over de wei, gevolgd door Bontje die af en toe klagend blaft. ,,Ik weet het, mijn beestje, het is niet leuk om bij onweer buiten te zijn, maar, weet je, we kunen Pride

142

toch niet aan zijn lot overlaten," praat ze tegen de hond.

Bij de boom waar Pride altijd staat, is niets te zien. Pride moet een manier gevonden hebben om de wei te kunnen verlaten.

Bianca denkt diep na, stel dat hij kan springen, waar kan hij dan heen? Ze trekt diepe rimpels in haar voorhoofd en krimpt in elkaar als er weer een donderslag klinkt. Voorzichtig klimt ze over het lage hek en loopt gewoon maar vooruit.

Dat is een ding dat Bianca zeker weet, een paard dat angstig is, holt gewoon verder, zonder erop te letten waarheen.

Bontje volgt zijn bazin, maar doet het onder protest.

,,Stil, Bontje, moet je de hele buurt wekken," zegt Bianca tegen de hond. Nou ja, buren zijn er niet te wekken, alleen dieren en die zullen bij dit onweer ook geen oog dichtdoen.

Bianca hinkelt en zet dan weer even haar voet neer. Het is zo vermoeiend. Bianca begint te roepen: ,,Pride... Pride..." Maar het enige dat antwoord geeft, is het onweer.

Bianca zucht diep. ,,Dat heb je ervan, Bianca Vermeulen," praat ze tegen zichzelf. ,,Je was niet zo blij met die stakker en dat heeft hij gevoeld. Nu is hij uit pure angst voor het noodweer weggelopen. Misschien heeft hij destijds die littekens wel op die manier opgelopen, is hij blijven hangen in prikkeldraad.''

Nu is het net of een stem in Bianca zegt: je kunt bij dit paard alleen iets bereiken door veel liefde te geven, Bianca. Hij moet zijn vertrouwen in mensen terugkrijgen, anders blijft het een zielig paard.

Bianca begrijpt dat ze alles op alles moet zetten om Pride te zoeken. Maar haar been doet pijn en die laarzen lopen ook niet al te comfortabel. Bianca veegt het sluike haar naar achteren. Ze probeert nog eens te roepen, maar haar stem gaat verloren in het geweld van het onweer. ,,Pride, Pride, waar ben je toch,'' zegt ze zachtjes, terwijl ze de kop van Bontje aait. ,,Jij weet het ook niet, hè, mensenredder?'' praat ze tegen de hond, die ineens hard begint te blaffen. Bianca bijt op haar onderlip, ze is niet ver van een deuntje huilen. ,,Had ik maar een zaklantaarn meegenomen, je kunt hier geen hand voor ogen zien,'' mompelt ze.

Alsof er meteen op haar opmerking wordt gereageerd, komt er een lichtflits en warempel daar ziet Bianca Pride staan, dicht bij een hoog hek, waar hij niet overheen kan.

Bontje heeft het paard ontdekt.

,,Nu niet blaffen, Bontje, anders kan ik hem niet pakken, het zal toch al een moeilijke zaak worden om hem weer naar de box te krijgen,'' praat Bianca tegen de hond en half tegen zichzelf.

Als ze Pride nadert, verwondert het Bianca dat het dier stokstijf blijft staan. Hij maakt geen aanstalten om weg te lopen en als Bianca hem bij het hoofdstel pakt, merkt ze dat het dier over al zijn leden trilt.

,,Sst, stil maar, mijn paardje, het komt allemaal wel goed,'' zegt Bianca. Maar ze heeft het gevoel dat er nu iets helemaal fout is met Pride. Hij sjokt gewillig met Bianca mee en je ziet dat het dier over zijn hele lijf trilt.

,,Je hebt toch geen kougevat, dat kan niet, want het is nog warm,'' zegt Bianca geruststellend.

Eén ding weet ze wel, haar vader zal nu toch wel zijn bed uit moeten.

Bontje holt blaffend vooruit en zelfs daar reageert het paard niet op.

,,We zijn bijna thuis, hoor, Pride,'' zegt Bianca, terwijl ze het dier meetrekt.

In de stal heeft ze het licht laten branden en als ze daar eindelijk met haar trillende last aankomt, vindt ze daar haar vader en moeder.

Vader bekijkt zijn dochter, die een lijkbleek gezichtje heeft.

,,Pride was weggelopen en nu doet hij zo gek, pap, kijk toch eens," zegt Bianca.

,,Jij gaat meteen naar bed, kind, je ziet er verschrikkelijk uit," zegt moeder bezorgd. ,,Je moet je voet nog steeds ontzien."

Bianca wrijft in haar ogen. ,,Maar Pride kan ik toch niet in de steek laten, dan leert hij nooit dat er ook mensen zijn die van hem houden."

Moeder glimlacht en trekt Bianca mee. ,,Pride is nu in de beste handen. Ga nu maar mee, ik maak een kop chocola en dan duik je weer onder de wol. Het onweer is bijna voorbij," zegt moeder.

Bianca hinkelt met haar moeder mee. Ze kijkt nog even achterom waar vader zich over Pride heeft gebogen. ,,Hij is vast ziek, mam, heel erg ziek. Hij liep niet eens weg toen hij mijn stem hoorde," zegt Bianca zacht.

Moeder helpt haar bij het uittrekken van de laarzen. Ze geeft haar dochter een beker warme chocolademelk.

Even later laat Bianca zich als een klein kind gewillig onder de dekens stoppen.

,,Als hij maar niet doodgaat," zegt ze met een klein stemmetje.

,,Nou, zeg, een beetje vertrouwen in je vader als veearts is ook wel op zijn plaats, waarom zou hij doodgaan?''

Daar heeft Bianca ook geen antwoord op, maar een Pride die zich zo gewillig liet meevoeren, is ook niet normaal.

,,Nee, Bontje, kameraad, jij bent niet al te schoon, ga jij maar mooi in de keuken liggen,'' zegt moeder tegen de hond, die alweer aanstalten maakt om bij Bianca op bed te gaan liggen. Hij sukkelt brommend als een oude man achter moeder aan die nu het licht uitdoet.

,,Vraag je of pap even komt vertellen wat er met Pride is?'' vraagt Bianca.

Moeder knikt. ,,Dat is beloofd, maar eerst slapen.''

Bianca ligt in het donker te staren en probeert wakker te blijven, maar het duurt zolang voor vader komt. Als hij eindelijk de kamerdeur een eindje opendoet, merkt hij dat Bianca van uitputting in slaap is gesukkeld. Morgen zal ze wel vragen waarom vader niet bij haar is gekomen.

Bianca is de volgende morgen niet vroeg wakker, maar als ze haar ogen opent, is het eerste wat bij haar opkomt: Pride... hoe zou het met Pride zijn? Ze komt uit bed, grijpt haar badjas en hinkelt de trap af, waar haar moeder net aan een kop koffie zit.

,,Zo, dochter, jij hebt een gat in de dag geslapen," zegt ze tegen Bianca. Gelukkig heeft ze weer wat kleur op haar gezicht.

,,Waarom is pap vannacht niet meer bij me geweest?" vraagt Bianca.

,,Kind, je sliep als een roos, pap wilde je niet wekken," lacht moeder. ,,Trouwens, hij heeft vanmorgen nog bij Pride gekeken. Het was iets van een shock, mischien is het goed geweest dat alle emoties van vroeger er eindelijk eens uitkwamen," zegt moeder geheimzinnig. ,,Vader meent dat het dier nu lang niet meer zo lelijk en schichtig doet."

Als Bianca aanstalten maakt om naar buiten te gaan, houdt moeder haar tegen. ,,Nee, jongedame, de dag is nog lang. Eerst ontbijten en dan aankleden, daarna kun je naar Pride." Moeders stem klinkt plagend. ,,Bontje heeft zijn ochtendwandeling al achter de rug, daar heeft vader voor gezorgd."

Bianca kijkt naar buiten. ,,Het is mooi weer, niet?" Haar stem klinkt verlangend. ,,Wat heb ik zin in een rit te paard."

Moeder schrikt. Ze ziet dat het gezicht van Bianca heel ernstig staat. ,,Arme Marieke, dat wil je haar toch niet aandoen, iemand met een verbonden enkel op de rug.''

Bianca zegt niets, maar haar gezicht spreekt boekdelen. Ze lepelt haar eitje op en zit dromerig uit het raam te staren.

Moeder Vermeulen zucht. Die dochter van haar blijft toch wel uniek. Wie wil er nu op een paarderug klimmen als je een val hebt gemaakt, waardoor je voet in het verband zit. Daar moet je Bianca Vermeulen voor heten, dat kan niet anders. Moeder weet dat ze verbieden kan wat ze wil, maar dat Bianca op dat gebied toch haar eigen zin doordrijft. Daarom houdt ze haar mond maar verder over een rit.

Vader Vermeulen komt binnen. Hij ruikt naar de hei en naar honden en naar… gewoon naar een dierenarts. ,,Hallo, mijn dochter, je hebt het goede nieuws al van je moeder gehoord, niet ? Pride begint eindelijk normaal te reageren, hij kan toch een fijn paard voor je worden.''

,,Ik ga straks meteen naar hem toe,'' zegt Bianca.

,,O ja, ik heb nog meer goed nieuws. Ik ben net op de bosmanege geweest en oom Koos krijgt je kleine duvel Donja er goed onder. Kind, het is wel een kleine furie, maar je weet, oom Koos is de beste en het zal hem wel lukken."

Bianca is blij en haar smalle gezichtje straalt van tevredenheid. Zij en haar paarden.

,,Je mag trouwens die stal wel uitmesten, dochter, ik heb het slot van de box voor je gerepareerd, dus uitbreken is er voor Pride niet meer bij," lacht de veearts.

Bianca hinkelt fluitend naar boven om zich aan te kleden. Jammer, dat ze haar paardrijlaarzen niet aan kan, hoe moet ze dat nu oplossen? Een gymp aan de ene en een sok aan de andere voet. ,,Het is niet anders," praat Bianca tegen zichzelf. Ze is sneller klaar dan ooit en vals zingend gaat ze naar beneden in de richting van de stal.

Moeder Vermeulen heeft met haar man over de plannen van Bianca om te gaan rijden gesproken.

,,Je doet toch geen gekke dingen, hè, Bianca?" zegt vader tegen zijn dochter.

Bianca geeft geen antwoord en zwaait alleen maar. Moet je dat nu zien, een hinkelende Bianca gevolgd door een dikke Barneveldse kip en daar achteraan komt Bontje.

,,Bianca Vermeulen, je bent en blijft een uniek kind," zegt haar vader en moeder knikt.

Intussen is Bianca's eerste gang naar Pride.

Hij kijkt met zijn verstandige ogen Bianca aan en reageert op haar stem. Ze wil zijn neus aaien, maar daar wil hij even niets van weten.

,,Toe nou, mijn paardje, gisteren was je zó bang dat ik alles met je mocht doen en nu?" Pride draait met zijn oren.

,,Wil je de wei in? Of eerst ontbijten?"

Het paard hinnikt.

,,Prima, dan krijg je eerst een maaltijd geserveerd. Goedemorgen, Marieke, jij hebt ook wel zin in iets lekkers, is het niet?"

Marieke duwt met haar neus tegen Bianca aan.

,,Ik weet het, ik houd ook van jou, hoor," zegt ze tegen de merrie. Ze voorziet het paard van fris water, geeft haver en wat bix en stopt de paarden ieder een stuk wortel toe.

,,Dat is goed voor je ogen," lacht ze.

Dan hoort ze in gedachten Billy zeggen: ,,Ik heb nog nooit een paard met een bril op gezien."

Bianca heeft het naar haar zin. Ze voert de paarden, neemt Marieke onder handen met een borstelbeurt en brengt die maar vast naar de wei.

,,Ziezo, jij kunt vast wat spelen," praat ze tegen het mooie dier. ,,Pride, nu moet jij er ook aan geloven. Je wonden zijn genezen, maar je ziet er nog steeds niet al te netjes uit," zegt Bianca. ,,Kom, je kunt mij vertrouwen, ik doe je geen pijn. Je zult zien hoe lekker je het vindt zo opgepoetst te worden."

Bianca blijft tegen Pride praten. Ze maakt de box open en brengt Pride naar het middenstuk van de stal. ,,Kijk eens naar Marieke, ze glanst als een kastanje. Zo wil je er toch ook wel uitzien, neem ik aan? Je bent tenslotte een mooi paard en ik kan het weten." Bianca haalt heel voorzichtig een borstel over zijn flanken. Even lijkt het of het dier wil weglopen maar dan laat hij zich toch overhalen om te blijven.

Inderdaad, hij vindt het lekker om zo verzorgd te worden en Bianca ziet nu voor het eerst dat Pride ondanks zijn littekens een prachtige hengst is.

,,Zeg, knul, zullen wij straks eens een eindje gaan rijden?" zegt ze ineens.

Pride draait zijn ogen naar die van Bianca. Het is net alsof hij Bianca voor de eerste keer echt ziet, zonder angst en zonder het idee te hebben dat ze hem iets zal aandoen.

,,Jij bent een prachtig dier en je wilt misschien best met mij naar de bosmanege," zegt Bianca en ze ontdekt dat Pride goed naar haar stem luistert. Ze wrijft stevig over zijn rug, legt er een paardedeken overheen en pakt een zadel.

Pride blijft stilstaan.

,,Hé, ben jij een rijpaard geweest?'' zegt Bianca verbaasd. Ze denkt bij zichzelf dat dat wel zo moet zijn, want anders zou hij zich niet zo gewillig laten zadelen als hij een zadel niet zou kennen.

Ze controleert of de buikriem niet te strak zit en zegt tegen Pride: ,,Kom, zullen we het samen eens proberen? Je bent mijn vriend.'' Heel voorzichtig stijgt ze in het zadel en pakt de teugels.

Pride staat stil en als Bianca zegt dat hij mag gaan lopen, doet het paard dat inderdaad. Hij is nog wel wat angstig, maar met Bianca in het zadel hoeft hij dat niet te zijn, maar dat weet Pride nog niet.

,,Kom, we gaan een fijn tochtje maken, jij bent toch ook benieuwd hoe het met kleine Donja gaat?'' zegt Bianca.

Net als vader Vermeulen wil vertrekken om zijn patiënten te bezoeken, ziet hij zijn dochter op de rug van Pride de stal uitrijden.

,,Ze heeft het weer voor elkaar,'' zegt hij tegen zichzelf en vliegensvlug loopt hij naar binnen om zijn vrouw te waarschuwen.

Bianca heeft niets in de gaten. Zij heeft al haar aandacht bij Pride nodig. Bontje wil ook mee naar de manege. Daar heeft Bianca niets op tegen als hij Pride maar niet angstig maakt door te blaffen.

Bontje begrijpt het best en als de Vermeulens naar buiten komen, zien ze nog net een plaatje: Bianca kaarsrecht op Pride gezeten. Het paard is nu pas echt trots. Hij heeft de oren rechtop en kijkt in het rond alsof hij vandaag de wereld voor de eerste keer ziet. Naast Bianca en Pride holt Bontje enthousiast mee.

,,Ze rijden naar de bosmanege, daar steek ik mijn hand voor in het vuur," lacht vader.

Moeder kijkt bezorgd, zij vindt het maar niks, met een voet in het verband op een paard waarvan je beslist niet weet of hij wel te vertrouwen is.

,,Ach, moeder, het loopt wel los, Pride is een mooi paard en er zit geen greintje kwaadwillendheid bij. Laat haar maar, ze komt altijd op haar pootjes terecht, ook al zit er nu dan eentje in het verband."

Intussen rijden Bianca en Pride op hun dooie akkertje over de zonovergoten paden naar de hei waar de bosmanege staat. Even flitst het door Bianca's hoofd dat het jammer is, dat haar clubleden niet kunnen zien hoe ze nu rijdt, maar die zijn volgende week toch ook weer terug en dan is de verrassing des te groter.

Bianca fluit naar Bontje die zich vermaakt door een konijn achterna te zitten. ,,Hé, mensenredder, laat die beestjes met rust, ze doen jou niets en thuis krijg je genoeg te eten,'' moppert Bianca tegen haar Sint Bernard. Wat is die hond gegroeid, het zal niet lang meer duren, voordat hij volwassen is.

Pride luistert naar de stem van zijn nieuwe bazin. Die stem zal hij zijn leven lang niet vergeten. Hij hinnikt vrolijk en kijkt achterom of Bianca iets tegen hem zegt.

,,Wil je in galop? Dat mag of wil je draven? We gaan naar Donja, is het hier niet prachtig? Het is toch bijna net zo mooi als aan zee rijden,'' zegt Bianca tegen haar nieuwe vriend.

In de verte zijn de contouren van de bosmanege te zien.

,,Pride, laat eens zien wat je in je benen hebt, dan zul je oom Koos en tante Ans zien kijken. Je bent een schoonheid en wij zullen in de toekomst nog heel wat tochten samen maken.''

Pride draait zijn oren en hinnikt blij. Hij is niet bang meer voor zijn berijdster, hij begrijpt dat zij hem nooit pijn zal doen en hij geniet voor de eerste keer sinds lange tijd. Dat kan ook niet anders als je baasje Bianca Vermeulen is.

Oom Koos staat voor de manege. ,,Als dat Bianca niet is! Waar rijdt ze op...? Nee toch, ze heeft het weer voor elkaar, Bianca Vermeulen je bent uniek,'' zegt hij hardop en hij loopt naar binnen om tante Ans te waarschuwen.

In de Kluitman jeugdserie POCKETS MEISJES zijn de volgende titels verkrijgbaar:

Het zal je zus maar zijn

Al vanaf het allereerste moment dat ze haar zag, wist Daphne Houtenbos dat ze het nooit zou kunnen vinden met haar nieuwe zus. Maar ze is gedwongen onder een dak te wonen met Esther de Jager, omdat Daphnes vader trouwt met de moeder van Esther. Ze moet zelfs haar slaapkamer met Esther delen.

Ook Esther is niet bepaald enthousiast over haar serieuze, humeurige en slordige zus die ze dan ook het liefst naar een andere planeet zou wensen. En Daphne vraagt zich wanhopig af hoe ze het moet uithouden met de stralend knappe, maar oppervlakkige Esther die alle jongens om haar vinger windt, ook Daphnes vriendjes.

Kortom, Daphne en Esther zijn twee zussen die ontzèèèttend goed met elkaar kunnen opschieten.

Een serie vol spanning en liefde
vanaf 12 jaar

KLUITMAN POCKETS